¿Por qué si soy tan BUENA, me siento tan MAL?

¿Por qué si soy tan BUENA, me siento tan MAL?

Mujeres esplendorosas en la edad dorada

Margarita Hernández Hemken

EDITORIAL TRILLAS

México, Argentina, España,
Colombia, Puerto Rico, Venezuela ®

Catalogación en la fuente

Hernández Hemken, Margarita
    ¿Por qué si soy tan buena, me siento tan mal? :
mujeres esplendorosas en la edad dorada. --
México : Trillas, 2013.
        112 p. : il. ; 23 cm.
        ISBN 978-607-17-1530-2

        1. Mujeres - Salud e higiene. 2. Mujeres -
Problemas sociales y morales. I. t.

    D- 155.633'H769p   LC- HQ1214'H4.7

División Administrativa,
Av. Río Churubusco 385,
Col. Gral. Pedro María Anaya,
C. P. 03340, México, D. F.
Tel. 56884233
FAX 56041364
churubusco@trillas.mx

División Logística,
Calzada de la Viga 1132,
C. P. 09439, México, D. F.
Tel. 56330995, FAX 56330870
laviga@trillas.mx

Tienda en línea
www.trillas.mx
www.etrillas.mx

Miembro de la Cámara Nacional de
la Industria Editorial
Reg. núm. 158

Primera edición, abril 2013
ISBN 978-607-17-1530-2

Impreso en México
Printed in Mexico

Esta obra se imprimió
el 30 de abril de 2013,
en los talleres de
Impresora Publimex, S. A. de C. V.

B 105 TW

Índice de contenido

Introducción

MUJERES ESPLENDOROSAS EN LA EDAD DORADA

> En la actualidad, las mujeres menopáusicas
> estamos creando para las futuras generaciones los modelos
> de las mujeres maduras de principio de milenio.

Frecuentemente se ha dicho que las mujeres nos hacemos invisibles al llegar a la menopausia. Los medios de comunicación nos lo ratifican cada vez que leemos una revista o encendemos el televisor. A veces da la impresión de que, al llegar a esta edad, nos convertimos en "personas *non gratas*". Si juzgáramos la realidad por los anuncios que vemos podríamos pensar que no existen mujeres de más de 40 años, que todas poseen una belleza extraordinaria y son tan delgadas que se teme que el viento las eleve. Estos mensajes publicitarios, que a menudo son importados, poco tienen que ver con la realidad de las mujeres, ya que menos de 5 % de ellas puede cumplir con esos ideales impuestos. Las mujeres reales pocas veces son tomadas en cuenta y casi nunca aparecen en un anuncio publicitario. Para los publicistas y los diseñadores de moda, las mujeres menopáusicas no existen, y quienes hemos cometido "el error de cumplir 50 años" debemos conformarnos con ser expulsadas del paraíso terrenal de la moda, donde las tallas no nos quedan y los estilos no son los apropiados. Parece ser que a los fabricantes solamente les interesa venderles a las mujeres jóvenes, y olvidan que, en esta edad dorada, cuando tenemos más años, también tenemos más poder adquisitivo.

Al llegar a la menopausia vemos con asombro que se esperaría que, al dejar de ser tomadas en cuenta y hacernos invisibles, nos fuéramos a casa, como lo hacían nuestras abuelas, a zurcir calcetines y a aguardar el día de nuestra muerte, fieles practicantes de la máxima "Calladita te ves más bonita". Pero esto no va a ser posible, porque las mujeres de nuestra generación nunca hemos seguido el modelo de feminidad de las generaciones pasadas. Las mujeres menopáusicas de hoy nacimos durante o después de la Segunda Guerra Mundial y nos ha tocado ser pioneras en muchos cambios culturales y sociales que han modificado radicalmente las costumbres y la manera de vivir.

Cuando se iniciaron los cambios sociales que llevaron a las mujeres a las universidades y les abrieron las puertas del trabajo asalariado se decía: "Ya no hacen a las mujeres como antes." Podemos afirmar que esta acertada expresión de los abuelos toma hoy un nuevo significado porque, efectivamente, jamás han existido mujeres de más de 50 años con las características que tenemos en este principio de milenio. Muchos de los conceptos que se tienen sobre la menopausia no corresponden a la clase de mujeres que somos en la actualidad porque fueron creados por generaciones anteriores, en las que una mujer de 50 años era considerada casi una anciana.

El mundo por primera vez conoce a mujeres menopáusicas como nosotras, mujeres esplendorosas en la edad dorada, con características que nunca se habían visto. Mujeres que no se avergüenzan de su edad, y que han contribuido con sus conocimientos y habilidades a construir un mundo mejor; mujeres que han tenido los hijos que desearon y no los que les impuso su biología; mujeres autónomas que han hecho escuchar su voz a quienes no habían aprenwdido a oírlas fuera del ámbito doméstico. "Hoy hay una gran cantidad de escritoras porque muchas mujeres desean compartir sus conocimientos y experiencias con otras mujeres para que, al igual que ellas, consideren un futuro promisorio, ya sea en la juventud o cuando lleguen a la edad de oro.

Las estadísticas nos informan sobre el aumento del promedio de vida. Los avances de la medicina y los programas preventivos han logrado un aumento importante en el número de mujeres menopáusicas y en sus expectativas de vida. Muchas de ellas podrán vivir 20 o 30 años más después de jubilarse, con suficiente salud y energía. Antiguamente, una mujer de 50 años se consideraba una mujer "acabada", hoy simplemente, entra a una nueva etapa de su vida. Para muchas mujeres llegar a los 60 años equivale a lo que antes significaba cumplir 50. En este principio de milenio por primera vez, hay millones de mujeres que pasan de los 50 años y que recibieron la influencia de las ideas del movimiento feminista, poseen una educación superior a la de sus madres y ni siquiera comparable con la de sus abuelas, tienen, además, experiencia laboral, autoestima, independencia económica y control sobre sus vidas. ¡Son mujeres esplendorosas en la edad dorada!

La menopausia ha sido considerada un evento de nuestra fisiología, cuyo estudio pertenece al campo de la medicina. Hoy este término se aplica a la etapa de la vida de la mujer posterior al climaterio. Durante esta etapa, muy poco se habla de lo que sucede en la psicología de la mujer; pocas veces se toma en cuenta que la menopausia también es un proceso psicológico, por lo que a los cambios fisiológicos tan comentados de la menopausia hay que agregar los psicológicos. Desde este enfoque, la menopausia es un lugar equidistante a la felicidad o a las lágrimas; al llegar a ella, cada mujer toma la decisión de cómo quiere vivir el resto de su vida. Algunas optan por lamentar la juventud perdida o las épocas pasadas, y acarician sus recuerdos mientras el tiempo pasa sobre ellas. Otras hacen un análisis de sus vidas para efectuar los cambios necesarios, y retoman las riendas de su destino con nuevas metas y proyectos; consideran y viven las transformaciones como la característica más destacada de esta edad; aceptan los cambios necesarios y superan los que no son del todo positivos; disfrutan su edad sin lamentarse y aprenden a vivir plenamente.

Cada experiencia en la vida nos confronta con cosas distintas y con el menester de hacer cambios para adaptarnos a las novedades. Al cumplir 50 años, esta nueva etapa puede ser vista con melancolía y dolor por la juventud perdida o como un periodo de madurez, en el cual le damos la bienvenida a la sabiduría en la que se transforman nuestras experiencias. Cada mujer elige cómo será su adaptación y su manera de vivir esta etapa y el resto de su vida. El modo en el que la mujer decida estar en el mundo determinará su ser y su hacer, su bienestar dependerá de estas resoluciones. Todas las etapas de la vida traen consigo sus propias ventajas, la madurez nos da un optimismo realista al conocer lo bueno y lo malo de la vida, y la capacidad de escoger quedarse con lo mejor y de nunca mirar atrás ni para despedirse de lo malo. Una vez que hemos aceptado que la vida no es tan fabulosa ni fácil como pensábamos a los 20 años nos percatamos de que vale la pena vivirla y disfrutarla porque nos ha dado satisfacciones que ni siquiera pensábamos que existían.

La historia de nuestra vida podría relatarse en relación con las decisiones que en su momento tomamos. Estas decisiones determinaron lo que elegimos y el futuro llegó cargando las consecuencias. La vida siempre ha sido así y no cambia; lo mismo sucede en la menopausia. Cuando asumimos estas responsabilidades, en realidad lo que estamos haciendo es tomar en nuestras manos las riendas de nuestra vida, es decir, tomamos decisiones sobre lo que afecta nuestra existencia y elegimos aquello que queremos. Ésta ya es una manera de ser felices, porque cuando escogemos lo que deseamos, siempre vamos a apreciarlo y aceptaremos las consecuencias de esas decisiones. Asumir estas tareas implica hacernos cargo también de nuestro bienestar, entendido como un "estar bien" y saber que nadie tiene que "hacernos felices" pues la felicidad es autogenerada. Como resultado, dejamos de sentirnos responsables de la felicidad de nuestros seres amados, esto nos quita un enorme peso de encima y, al soltar esa carga, nos sentimos más libres, cómodas y seguras.

Así como la menopausia no se anunció, algunas de sus características y crisis también llegan sin previo aviso: empezamos a olvidar ciertas cosas, no podemos leer sin lentes, surgen arrugas delatoras, y la melancolía y la intolerancia se manifiestan cotidianamente. Haces la mitad de las tareas y te cansas el doble, en el espejo una cara poco familiar te observa mientras la inspeccionas, tus hijos ya crecieron y se van de casa; en ocasiones también tu marido se fue de la casa, en otras, el matrimonio se ha convertido en una costumbre o en un amigable compañerismo. Mientras tanto, empiezas a evaluar los proyectos que cancelaste y al contabilizar tus logros, eres consciente de que estás envejeciendo, rechazas tus canas y te pintas el cabello, los jóvenes te parecen ruidosos y superficiales, y como si esto fuera poco, te duelen las articulaciones y tienes que estar al pendiente del colesterol y de los triglicéridos. Para salir adelante airosamente, necesitamos, además de hormonas, desaprender algunas cosas que ya no nos son útiles, adquirir nuevos aprendizajes y hacer cambios, muchos cambios.

El principio básico de este libro sobre la menopausia podría expresarse así: *La primavera y el verano ya pasaron*, no hay necesidad de saltarnos el *otoño. Si vivimos un buen otoño, tendremos un mejor invierno.*

Con esta obra pretendemos explicar qué sucede en el ámbito psicológico cuando llegamos a los 50 años y qué necesitamos para vivir plenamente la menopausia. Dicha obra cubre una necesidad de las mujeres maduras, quienes requieren conocer y entender cuáles son los cambios psicológicos que se están presentando en su vida y cómo manejarlos. Hablan de la psicología de los cambios en la menopausia, qué modificaciones deben hacerse y de las decisiones que hay que tomar; así como de cuáles son las repercusiones que la edad tiene en el concepto de sí misma y su autoestima, cómo asumir los nuevos papeles que son propios de la edad (suegra, abuela, jubilada), cuáles son los temores que nos acechan al llegar a la menopausia, las pérdidas inevitables y dolorosas de esta etapa. Asimismo, este texto muestra cómo actualizar nuestro proyecto de vida, el síndrome del nido vacío y los aprendizajes de vida que nos hacen vivir con una actitud positiva. Además, explican y demuestran que la felicidad existe después de la menopausia, e indican cuáles aprendizajes son necesarios adquirir para viajar el resto de nuestra vida ligeras de equipaje.

La menopausia, al igual que la adolescencia, es una época de crisis que se caracteriza por cambios físicos y psicológicos y por la necesidad de adaptación a nuevas experiencias y expectativas en la vida. Nunca como ahora ha sido tan cierta la frase que dice: "Hoy es el principio del resto de tu vida." Bienvenida a los 50 años, a la edad dorada, la edad de la madurez.

Madurez

Madurez es la habilidad de controlar la ira
y resolver las discrepancias, sin violencia o destrucción.
Madurez es paciencia, es la voluntad de posponer,
el placer inmediato a favor de un beneficio a largo plazo.
Madurez es perseverancia, es la habilidad de sacar adelante
un proyecto o una situación a pesar de fuertes
oposiciones y retrocesos decepcionantes.
Madurez es la capacidad de encarar disgustos y frustraciones,
incomodidades y derrotas, sin quejas ni abatimiento.
Madurez es humildad, es ser suficientemente grande
para decir "Me equivoqué" y no necesitar
experimentar la satisfacción de decir "Te lo dije"
cuando se está en lo correcto.
Madurez es la capacidad de tomar una decisión y sostenerla.
Los inmaduros pasan sus vidas explorando posibilidades
para al fin no hacer nada.
Madurez significa confiabilidad, mantener la
propia palabra, superar las crisis.
Los inmaduros son los maestros de la excusa,
son los confusos y desorganizados.
Sus vidas son "negocios sin terminar" y buenas
intenciones que nunca se convierten en realidades.
Madurez es el arte de vivir en paz
con lo que no se puede cambiar.

ANN LANDERS

CAPÍTULO 1

Ayer, hoy y mañana

La primavera y verano ya pasaron,
no hay necesidad de saltarnos el otoño.
Si vivimos un buen otoño, tendremos
un mejor invierno.

Todo libro tiene un pasado inmediato y uno no tan reciente. La historia de este libro es la siguiente.

AYER

Poco antes de cumplir 50 años, recibí de una de mis más queridas amigas una invitación para una fiesta en la que celebraría sus 50 años. Mi impacto fue tan grande que me quede inmóvil unos minutos mirando la invitación.

Recordé el día, casi 40 años atrás, cuando se inició nuestra amistad. Era el primer día de clases en la secundaria. Tuve una sensación extraña al entrar por la puerta principal de un colegio nuevo y, justo en ese momento, conocí a María Amalia Franco, de quien he sido y seré amiga siempre. Compartimos muchas cosas, entre otras, el momento de elegir carrera, nuestro primer día de clases en la universidad y cuando, a la hora de la salida, corrimos a encontrarnos en un punto intermedio entre nuestras facultades para platicarnos todas las experiencias de ese día.

Recordé cuánto hemos pasado juntas por la vida. Las tesis profesionales, los trabajos y experiencias, el noviazgo, el compromiso y la boda, la nueva casa, el primer embarazo, los hijos; y luego los problemas, las desilusiones, los divorcios, las lágrimas, y después la recuperación… Afanes todos de vidas cariñosamente compartidas con quien, más que una amiga, es como la hermana que nunca tuve.

Meditando todo esto, aún con la invitación en las manos, me desconcertó la sensación de molestia y enojo que sentía, y me di cuenta que la invitación era la causante de todo ello. Tomé una pluma y escribí algunas reflexiones:

> "No sé cómo se atreve... Verdaderamente es el colmo tanta desfachatez. ¡Estoy muy enojada, casi furiosa! Y ella se dice mi mejor amiga, sí una de mis mejores amigas y una hermana que busqué, conocí y adopté, y a conocerla tan bien.
>
> "Todo el mundo sabe que siempre fuimos compañeras de escuela y, obviamente, que somos de la misma edad. No es justo que me haga esto. Se va a exhibir y de paso a mí y a todas las contemporáneas. ¿Qué no se ha dado cuenta que ya no ponemos velitas en los pasteles de cumpleaños?
>
> "Pero, ¿por qué estoy tan enojada? ¿Estoy enojada con ella, conmigo o con la edad? La realidad es que tengo casi 50 años... y debo aprender a despedirme de la mujer joven y atractiva que dejé de ser. Esto duele y es difícil, y esta absurda celebración no me va a ayudar en nada. Voy a tener que trabajar mucho sobre esto de los 50 años, pensarlo y repensarlo, procesar mi coraje y sentimientos, leer y buscar información de que hoy me percato me es urgente. Recapitulando me doy cuenta de que, en la actualidad, muchas cosas me están recordando continua y cotidianamente mi edad. No sólo mi Registro Federal de Contribuyentes, que me causa tanta pena que a veces preferiría no cobrar un honorario profesional que sacar el recibo con el RFC delator. Y ahora la tan cacareada fiesta de Mary. ¡Tan a gusto que estaba y se presenta esto! Debo asumir mi edad con elegancia y aprender a envejecer con dignidad y sin lamentaciones. En fin... tendré que ir a la fiesta; no puedo ser la única que falte. Pero me molesta la idea de que Mary celebre sus 50 años como si fuera una ocasión memorable y mereciera un festejo."
>
> MAGY

Asistí a la fiesta llevando junto con el regalo, estas reflexiones escritas para mí misma y que, como tantas cosas en el pasado, quería compartir con mi amiga como preámbulo de una futura conversación sobre el tema. No pude entregárselas; no era lícito ni amistoso empañar su felicidad y dar la nota con mis lamentaciones. Al llegar, mi actitud inicial era algo así como: "No sé por qué estoy aquí, en realidad yo no pertenezco..."; pero sí pertenecía, y en 10 minutos estaba encantada y feliz, 50 veces encantada y feliz, conviviendo con 80 mujeres de todas las edades que eran hijas, hermanas, tías, primas, sobrinas, compañeras de escuela y de trabajo, vecinas, conocidas y, por supuesto, amigas de Mary, todas las mujeres que ella estima han formado una parte importante de su vida.

Fue un festejo de mujeres que ayer, hoy o mañana cumplieron o cumplirán 50 años. Yo entendí y acepté que eso también es parte de la vida, y de la vida no hay que rechazar nada… nunca. Para mí, estudiosa de la psicología de la mujer, la fiesta fue una cátedra extramuros, donde aprendí que la edad es una actitud ante la vida y no una fecha. Comprendí que cumplir 50 años es una ocasión memorable y merece un festejo.

Después de la comida caminé entre las diferentes mesas saludando y escuchando comentarios sobre la fiesta: "Nunca se me hubiera ocurrido", "genial", "algo para meditar y valorar", "extraordinaria idea, valiente, desinhibida, alegre, realista y segura y, sobre todo, muy recomendable". Muchas de las conversaciones trataron sobre lo que significa para la mujer llegar a los 50 años, vivir la menopausia y sus efectos respecto a la imagen personal y social. Estuvimos y nos fuimos todas felices, 50 veces más felices de como llegamos; pero ninguna de ellas, que yo sepa, ha festejado sus 50 años públicamente, yo tampoco lo hice. ¡Este libro es como mi fiesta de 50 años! Espero que lo disfrutes 50 veces 50.

HOY

Los 50 años son un lugar equidistante a la felicidad o a las lágrimas, son un cruce de caminos donde elegimos la dirección que hay que seguir. En el pasado ya hemos elegido varia rutas, pero esta vez es diferente la elección. Cuando cumplimos 50 años nos percatamos de que estamos en un andén y el tren de la juventud ya partió; se llevó a las jóvenes y bellas pasajeras.

Cumplir 50 años puede implicar muchas cosas. Sentir que estamos rodando cuesta abajo en el camino de la vida, y dedicarnos a evocar y a acariciar retazos de recuerdos de nuestro pasado, sintiéndonos casi viejas. O pensar que *por fin vamos a conocer* el "País de Yo Misma", donde nos aceptamos tal como somos y con la edad que tenemos. Es entonces cuando ocupamos el centro de nuestra vida reinventando nuestro proyecto para lograr felicidad y paz espiritual. Disfrutamos el presente y creamos los que serán recuerdos de nuestro futuro. Vivimos la menopausia conscientes de que nunca volveremos a ser tan jóvenes como el día de hoy.

Para algunas mujeres menopáusicas es relativamente fácil crecer, desarrollarse y encontrar nuevos intereses personales. Con su independencia recuperada al terminar de criar a los hijos, cada mujer retoma los pedazos, en ocasiones desconectados, que quedan de sí misma de entre el grandioso todo "esposa-madre-hija" (o madre-esposa-hija), y reconstruye su identidad como mujer, no la esposa de… o la madre de… ni la hija de… simplemente ella. Un "Yo Misma" que a veces ha olvidado. Es como *obtener tu pasaporte para ingresar* al "País de Yo Misma". Llegar a la menopausia nos hace conscientes de que nuestra pareja y/o familia necesitan de nuestra atención, respeto, cuidado y amor, y que nosotras necesitamos lo mismo de ellos…, pero, sobre todo, de nosotras mismas. Es el momento de sentirnos y hacernos acreedoras de una parte de nuestra bondad. Requerimos un espacio para crecer y ser. Necesitamos ser un "Yo" y no únicamente todas esas cosas que esperan que "Yo sea".

Esta edad nos da sensaciones especiales −algunas mujeres las disfrutamos intensamente−, una de ellas es el volver a usar la primera persona del singular: yo soy, yo deseo, yo quiero. Cumplir 50 años es también la experiencia grandiosa de parirse a sí misma, de arrancarse de su propio útero y salir al mundo. Para *finalmente llegar* al "País de Yo Misma" y ser una mujer que se quiere y respeta, que reconoce sus derechos: el yo decido, yo quiero, yo necesito, me gusta, deseo…; así como también tiene sus límites bien establecidos, que determinan sus no quiero, no admito, no tolero, no permito, no te atrevas… El dolor del propio parto se olvida rápido y fácilmente al experimentar la satisfacción de ser "Yo y Yo Misma". Ya sabemos que lo importante no es lo que nos pasa sino las respuestas que le damos y lo que de ello aprendemos. De eso se trata precisamente la vida. Es una lástima que sólo lo podamos aprender hasta la madurez; pero, finalmente, ya lo hicimos.

Cuando vivimos con plenitud la menopausia y rescatamos nuestra autoestima, aceptamos nuestra edad y fortalecemos nuestra identidad como personas autónomas, además de la de esposa-madre-hija que somos. Es como salir de un bosque sombreado, donde nuestra figura siempre se ve detrás de los árboles, a un campo abierto, nuestro campo a pleno sol, con un dorado resplandor para poder correr y hacer por nosotras, para nosotras, por y para nuestra vida todo lo que no hicimos nunca. Cuando lo logramos, *empezamos a vivir* en el "País de Yo Misma". Pero, ¿desde dónde partimos rumbo a ese dorado sol de la edad dorada de la menopausia? Tenemos que saber dónde estamos para orientar la brújula en la dirección correcta, pues el camino nos espera; de igual modo, necesitamos saber a dónde vamos, porque si no lo sabemos no podremos elegir el camino para llegar.

Hoy vivimos en una cultura que rinde tributo a la juventud y a la belleza, y nos preocupa en qué nos vamos a convertir cuando seamos réplicas de nuestras madres. Nos faltan modelos de mujeres menopáusicas modernas y por ello debemos construirlos. Nos educaron en una sociedad diferente de aquella en la que vamos a vivir durante y después de la menopausia. Algunas recordamos que de jóvenes despreciábamos y hasta nos daban lástima las mujeres con canas, creíamos que estaban acabadas. Nunca pensamos que estábamos devaluando nuestro propio futuro, y para olvidarnos de ello nos pintamos el cabello cuando aparecen las primeras líneas blancas en él. El tiempo empieza a parecernos más corto y las distancias más largas. A veces quisiéramos apresurarnos y vivir rápido todo lo que en la vida se nos fue de largo, pero generalmente estamos muy cansadas y renunciamos a ello, porque sabemos que el reloj no da marcha atrás. La primavera y el verano ya pasaron, son recuerdos, y no hay necesidad de saltarnos el otoño. Si vivimos un buen otoño, tendremos un mejor invierno.

Cuando no disfrutamos el otoño de la vida y únicamente recordamos las renuncias que hemos hecho (que en general han sido muchas), sólo tendremos malas expectativas que pueden llevarnos a un invierno prematuro, con calcetines de lana y tomando antidepresivos. En la menopausia también hay muchas renuncias, las cuales representan despedidas y pérdidas que duelen. Nos duelen muchas cosas en el alma, además de las articulaciones, y pensamos descansar de las luchas y de los afanes, pero vemos que otras mujeres que decidieron parar se quedan inmóviles y pierden la alegría de vivir o que sólo se entusiasman cuando las llevan a comer a la calle el día de las madres, y desde luego que no queremos eso para nuestra vida, por lo que asumimos otra renuncia. Renunciamos a descansar de las luchas y los afanes, simplemente los mudamos por otros.

Las más necias no nos quedamos quietas un minuto. Cambiamos tácticas, métodos y objetivos; además, tenemos la convicción de que no daremos un paso atrás ni para tomar vuelo. La alquimia nos transforma, hemos aprendido a ser las mismas siendo diferentes y a ser diferentes siendo las mismas, según nos convenga y esto sí es una ventaja, una gran ventaja. Por fin hemos aprendido a considerar nuestras conveniencias. ¡Ya era hora!

Las mujeres cambiamos después de la menopausia, y a veces esto asusta a quienes nos rodean... ¡Peor para ellos!, pues con ellos ya hemos cumplido y lo seguiremos haciendo, pero sólo cuando sea absolutamente necesario y nosotras lo decidamos. Al llegar a esta edad vemos hacia atrás y nos damos cuenta de que a los hijos les hemos dado cuidado, servicios y gustos toda su vida y la mitad de la nuestra; pero aquellos por complacer se reducen conforme aumenta nuestra edad, así como la seguridad en nosotras mismas. En esta edad, encontramos a alguien más a quien complacer, en primer lugar y antes que a nadie: a nosotras mismas. Estamos tan ávidas de ser complacidas y seremos tan agradecidas, que no nos arrepentiremos de emprender este nuevo reto.

Los cambios son nuevos aprendizajes que compensan las renuncias. Debemos ver hacia adelante sin lamentos, quienes se lamentan se hacen viejas, y nosotras queremos ser simplemente mujeres maduras. Cuando logramos sentirnos en paz y orgullosas de nuestra edad, con las canas, los recuerdos, las vivencias y las arrugas que muestran las experiencias y nuestro pasado nos aceptamos y amamos sin sentir que les robamos aceptación y amor a los nuestros; nos damos una parte proporcional de nuestra bondad y, al fin, logramos ser mujeres en armonía con nuestra propia existencia y nuestra edad. Es entonces cuando *ya somos ciudadanas* del "País de Yo Misma".

La mujer ha transitado del yo al nosotros durante toda su vida. Al llegar a la menopausia, es fundamental que regrese del nosotros al yo para encontrarse a sí misma y comenzar a vivir esta etapa sin melancolía por el pasado. La menopausia es una nueva oportunidad para aprender a querernos y aceptarnos. Cuando hemos emprendido el viaje de nuestra propia superación personal hacia la grandeza de espíritu, unas cuantas arrugas y algunas manchas en las manos carecen de importancia. Si nos queremos necesariamente nos atendemos; es decir, también nos preocupamos por nuestra salud y nuestra imagen. Nuestra salud es parte de nuestro capital de vida y la tenemos que cuidar atendiéndonos. Nuestra imagen también es muy importante, no debemos perder interés por nuestra apariencia; si nos pintamos el pelo que sea por vanidad, no por vergüenza de nuestras canas.

Uno de los objetivos en la menopausia es aprender a envejecer con dignidad. Uno de los espectáculos más tristes que puede dar una mujer madura es querer aparentar menos edad de la que tiene y, peor aún, vestirse como una jovencita. Cuando una mujer no acepta la edad que tiene, tampoco se acepta a sí misma, ni la vida que ha tenido, es entonces cuando pierde conexión con su propia identidad. Cuando se ve en el espejo no ve a una mujer satisfecha de sí misma, mira a una vieja que no quisiera conocer y se desprecia. Vivir para una imagen física que se transforma y termina por perderse es vivir para lo transitorio, olvidando lo que es real y duradero, aquello que permanece. Ambas circunstancias, el vivir para quien no se es y el despreciar lo que realmente se es, son motivo de grandes sufrimientos.

MAÑANA

Algunas experiencias no nos permiten volver a ser las mismas, cumplir 50 años es una de ellas. A esta edad hemos entendido cuáles son nuestros temores básicos: la soledad y el no ser amadas, o el no ser amadas y la soledad. Cada quien da diferentes prioridades a sus fantasmas, lo importante es que hoy aprendamos para nuestro mañana que si somos buenas con nosotras mismas, tanto como hemos sido para con los demás, seremos nuestra mejor compañía; porque quien es su mejor compañía nunca estará sola. La soledad representa el temor de no estar con "alguien más" que aminore el dolor que causa estar con quien no es buena compañía: nosotras; o lo que es peor con nadie, pues hay quienes se consideran a sí mismas inexistentes. Imaginemos a una mujer tocando una puerta, al oír el timbre le preguntan: ¿Quién es? Y la escuchamos contestar: "No es nadie, soy yo…" ¡Eso sí es estar sola! Pensar que no somos nadie para los demás significa estar seguras de que tampoco lo somos para nosotras. El clamor universal que alienta a todas las mujeres es el de "ser más que nada", y dejar alguna señal sobre el mundo de que aquí estuvimos y fuimos. Esto es lo que nos hace desear ser madres. Nuestros hijos son una señal de que vivimos, a través de ellos dejamos huella, serán nuestra continua permanencia en el mundo. Nuestros hijos son un destello de inmortalidad. ¡Por eso los amamos tanto!

Curiosamente la mujer que es buena compañía para sí misma lo es también para los demás, quienes la buscan por su manera de ser y de tratarlos. Su trato siempre refleja interés por la gente, el cual se fundamenta en una positiva autovaloración. El origen del temor (o terror) a no ser amada se origina en la falta de amor propio; la autoestima debe ser nuestro nuevo patrimonio. Estamos seguras de que hemos sido, somos y seremos amadas cuando sabemos que el origen del amor que otros nos tienen está dentro de nosotras, en la persona que somos, en nuestras cualidades, en los valores que nos identifican y en el propio reconocimiento de todos estos atributos. Cuando somos la persona que más se quiere, mostramos al mundo nuestro derecho a su amor. Al entender esto, abandonamos el constante deseo de complacer y hacer todo por todos, con la esperanza de que con ello logremos ser merecedoras de su amor. Esto no quiere decir que de ahí en adelante nos neguemos sistemáticamente a hacer algo por los demás. Significa que cuando lo hagamos no será para garantizar que nos quieran, será porque así lo hemos decidido, y lo haremos con gusto y sin miedo.

Menopausia ha dejado de ser una mala palabra. De esas que eran impronunciables y que lastimaban los oídos de quien las escuchaba deteriorando la imagen de aquel que las decía. Nuestras abuelas nunca hablaban de la menopausia; nuestras madres poco comentaban de ella y, si lo hacían era como si se tratara de un secreto del que se hablaba al oído. Hoy, menopausia es simplemente una época de nuestra vida, de la que platicamos entre mujeres y que es motivo de consulta con nuestro médico, y el momento de iniciar el tratamiento de remplazo hormonal, si así lo decidimos. Se habla de ella con la misma naturalidad que de cualquier síntoma físico o de los lentes bifocales. Sí, es cierto que ya no podemos leer sin lentes, pero que importa si ahora entenderemos mejor lo que leemos. Hoy, la mujer menopáusica lee más y se informa continuamente, está inquieta intelectual y emocionalmente porque anda en pos de una nueva forma de ser.

La mayoría no tiene un modelo de mujer de esta edad con quien identificarse, pues a las que conocen no se ajustan a sus expectativas. Para algunas esto aplica también a su madre con quien nunca han platicado, aunque hayan hablado con ella desde siempre. Ese es el drama universal de las relaciones madre-hija, conocido como brecha generacional. En este libro quiero mostrarte un espejo donde tal vez reconozcas tu imagen, pero la idea fundamental es enseñarte que las mujeres de esta generación estamos creando una nueva imagen colectiva de lo que significa ser mujer y tener 50 años o más en este nuevo milenio.

Mañana será una época gloriosa y feliz, puesto que hoy podemos ver la vida de manera diferente. Estaremos tranquilas, orgullosas y satisfechas porque sabemos que es mentira que se nos acaban las oportunidades. Simplemente estamos encontrando y creando nuevas oportunidades.

Mientras estés viva, siéntete viva

Siempre ten presente que la piel se arruga.
El pelo se vuelve blanco,
Y los días se convierten en años...

Pero lo importante no cambia.
Tu fuerza y tu convicción no tienen edad.
Tu espíritu es el plumero de cualquier telaraña.

Detrás de cada línea de llegada, hay una de partida.
Detrás de cada logro, hay otro desafío.
Mientras estés viva, siéntete viva.

Si extrañas lo que hacías, vuelve a hacerlo.
No vivas de fotografías amarillas...

Sigue aunque todos esperen que abandones.
No dejes que se oxide el hierro que hay en ti.
Haz que en vez de lástima, te tengan respeto.
Cuando por los años no puedas correr, trota.

Cuando no puedas trotar, camina.
Cuando no puedas caminar, usa el bastón...
¡Pero nunca te detengas!

MADRE TERESA DE CALCUTA

RESUMEN

- Algunas experiencias no nos permiten volver a ser las mismas, tener 50 años es una de ellas.
- Cumplir 50 años es una cátedra extramuros; nos graduamos como expertas en vivir o en sobrevivir.
- Los 50 años son un lugar equidistante a la felicidad o a las lágrimas, un cruce de caminos donde elegimos la ruta que hay que seguir.
- Si pensamos positivamente, llegamos al "País de Yo Misma" para ser felices.
- En el "País de Yo Misma", nos aceptamos tal como somos y con la edad que tenemos, ocupamos el centro de nuestra vida reinventando nuestro proyecto para lograr felicidad y paz espiritual.

- Al cumplir 50 años, disfrutamos el presente y empezamos a crear los recuerdos de nuestro futuro, conscientes de que nunca volveremos a ser tan jóvenes como el día de hoy.
- Las renuncias representan despedidas y pérdidas que duelen. Nos duelen muchas cosas en el alma, además de las articulaciones.
- Cumplir 50 años es también la experiencia grandiosa de parirse a sí misma, de arrancarse del propio útero y salir al mundo.
- Es el momento de sentirnos y hacernos acreedoras de una parte de nuestra bondad.
- Nos educaron en una sociedad diferente a aquella en la que vamos a vivir en la menopausia.
- La primavera y verano ya pasaron, no hay necesidad de saltarnos el otoño. Si vivimos un buen otoño, tendremos un mejor invierno.
- Al llegar a la menopausia cambiamos tácticas, métodos y objetivos; además, tenemos la convicción de que no daremos un paso atrás ni para tomar vuelo.
- Debemos ver hacia delante sin lamentos, quienes se lamentan se hacen viejas; nosotras somos simplemente mujeres maduras.
- Al darnos una parte proporcional de nuestra bondad, al fin logramos ser mujeres en armonía con nuestra propia existencia.
- La menopausia es una nueva oportunidad para aprender a querernos y aceptarnos. Si te pintas el pelo que sea por vanidad, no por vergüenza de tus canas.
- Uno de los objetivos en la menopausia es aprender a envejecer con dignidad.
- A esta edad hemos entendido cuáles son nuestros temores básicos: la soledad y el no ser amadas, o el no ser amadas y la soledad. Cada quien da diferentes prioridades a sus fantasmas.
- Cuando somos la persona que más se quiere, mostramos a los demás nuestro merecimiento a su amor.
- Hoy, la mujer menopáusica lee más y se informa continuamente. Está inquieta intelectual y emocionalmente porque anda en pos de una nueva forma de ser.
- Algunas no tienen un modelo de mujer menopáusica con quien identificarse, pues a que conocen no se ajustan a sus expectativas.
- La idea fundamental de este libro es enseñarle que las mujeres de esta generación estamos creando una nueva imagen colectiva de lo que significa ser mujer y tener más de 50 años en este nuevo milenio.
- Sabemos que es mentira que se nos acaban las oportunidades. Simplemente estamos encontrando y creando nuevas oportunidades.

2

Añorar el pasado, temer al futuro

> El Pasado es una cuenta cancelada, el Futuro es
> un cheque sin fondos, el Presente
> es el único efectivo del que disponemos.

En la juventud la vida nos parece un basto territorio, casi infinito, que está frente a nosotros y que nos pertenece; pero, conforme vamos transitando por los diferentes senderos de nuestra existencia, tomando decisiones y asumiendo responsabilidades profesionales, matrimoniales y maternales, donamos casi todo nuestro territorio y terminamos siendo extrañas en nuestra propia tierra. Nunca tenemos tiempo para nosotras, nuestro tiempo es de los que amamos y ni siquiera nos damos la parte proporcional que nos corresponde. Regalamos nuestro tiempo y nos regalamos, sin que nadie nos brinde nada parecido a un equitativo intercambio. No queremos aceptar que el tiempo es un recurso no renovable, y lo pensamos como algo infinito. Y resulta que ese espacio infinito es tan breve como las cuatro estaciones del año, que son tres: primavera e invierno. En un abrir y cerrar de ojos el futuro se hace presente, de igual manera el presente quedará convertido en pasado.

Las mujeres vivimos los tiempos de nuestra existencia de una forma particular; tal vez esto lo hemos aprendido como parte de una experiencia colectiva de nuestro género: añoramos el pasado, tememos el futuro e ignoramos el presente.

Añorar el pasado implica extrañar lo que en su tiempo fue sin gozar plenamente lo que en el presente es, desear lo que tuvimos sin disfrutar lo que tenemos; es como querer vivir la vida en reversa aunque nos dirijamos al frente. Nos aferramos a los recuerdos del pasado hasta que llegan a convertirse en los recuerdos de nuestro futuro que sustituyen al presente. Los recuerdos pueden ser felices o tristes, agradables o desagradables, sin embargo, todos se experimentan con nostalgia. Cuando pasamos el límite que marca la mitad de nuestra vida, que estadísticamente hablando son los 37 años, empezamos a creer que la abuela tenía razón y que: "Todo tiempo pasado fue mejor." De ahí al apego al dolor y a la depresión no hay más que un paso, o la tristeza de un recuerdo y una reflexión. De esta manera nos convertimos en ávidas lectoras de un solo capítulo de nuestra vida, y esta fidelidad al pasado nos hace infieles y poco comprometidas con nuestro presente.

Temer el futuro es una consecuencia de añorar el pasado y no vivir plenamente el presente. El puente que conecta el pasado y el futuro no puede existir si no lo cimentamos en el presente. Mientras no tengamos en las manos las riendas de nuestra vida, y eso sólo puede hacerse en el presente, le temeremos al futuro pues nos sentiremos incapaces de intervenir en su construcción. A veces observamos que los otros, nuestros seres queridos y los que se han convertido en no tan queridos, planean y proyectan su vida, y pensamos que también lo hacen con la nuestra. Sentimos nuestra vida anclada a la suya, sin que se hayan tomado en cuenta nuestras metas, necesidades y opiniones. Nuestras inseguridades nos dicen continuamente que dependemos de otros para vivir, amar, ser amadas y para satisfacer todas nuestras necesidades, y que al cambiar la vida de ellos forzosamente se modificará la nuestra. Es entonces cuando nos preguntamos: ¿Y yo qué? ¿Qué va a ser de mí en el futuro? Resulta que nuestras expectativas siempre están teñidas de temor, porque nos sentimos objetos y no sujetos de nuestra propia vida. Esta falta de control provoca que nos aferremos al pasado, debido a que éste sí puede ser controlado, aunque sea a través de nuestros recuerdos.

Ignorar el presente es no vivir el aquí y el ahora; es instalarnos en el allá y en el entonces. Implica que no entendemos el término presente. Al hoy se le dice "presente" porque es un regalo que la vida nos ofrece todos los días. Y, como sabemos, los regalos pueden recibirse y aceptarse con agrado, para disfrutarlos intensamente o guardarlos e ignorarlos como si no los hubiéramos recibido. Actuamos con el presente con la indiferencia que damos a aquello que no nos importa, lo cual supone que ni siquiera abrimos el regalo que nos fue dado. Cometemos el peor delito contra el tiempo: no disfrutar la vida hoy.

El presente ahí está pero nosotras no estamos en él; simplemente vivimos en él para aquellos que amamos, a quienes damos cuidado, alimentación, escucha, consejo, consuelo, ánimo, amor, mucho amor; adivinamos lo que necesitan, los cuidamos en sus enfermedades, complacemos sus gustos, nos angustiamos por sus problemas, y estamos dispuestas a sufrir por ellos. El verdadero drama de la vida de las mujeres es que para ser bondadosas nos excluimos de nuestra propia bondad pensando que mañana haremos por nosotras lo que requerimos hoy, pero generalmente el mañana nunca llega, porque todo mañana es demasiado tarde.

Vivir nuestra vida se transforma en vivirla por y para otros. Se nos inunda la vida de gente, afanes y deberes, y olvidamos que nuestra primera responsabilidad es con nosotras mismas. A veces vivimos llorando por lo poco que nos han dado y lo mucho que damos o, tal vez, por lo poco que esperábamos y lo poco que a veces recibimos. Las mujeres hemos oído, leído y sentido muchas de estas cosas, pero no nos percatamos de ellas. Por ello tenemos que escucharlas una y mil veces más hasta que las voces abran nuestros oídos que no quieren o no han aprendido a oír lo que les dicen de sí mismas.

Añorar el pasado conlleva ignorar el presente, porque revivimos los recuerdos felices y agradables con nostalgia y dolor, pertenecen a nuestro pasado y sabemos que no forman parte del presente; y tememos al futuro debido a que no sabemos si vuelvan a presentarse situaciones que nos den las mismas satisfacciones. Hemos seleccionado cuidadosamente las circunstancias de nuestro pasado, olvidamos lo negativo que nos sucedió y actuamos como si todo el pasado hubiera sido perfecto, porque lo matizamos con afectos repensados que, al recordarse en la distancia del tiempo se idealizan. Sin embargo, el tono de los recuerdos positivos siempre es de nostalgia y dolor. Aun los recuerdos más felices y agradables se convierten en algo triste, simplemente porque pertenecen al pasado y no forman parte de nuestro presente. Por ello, algunas mujeres disfrutan poco el presente, evaden el "aquí y ahora", refugiándose en lo que fue. Este es el origen del apego al sufrimiento, una característica fundamentalmente femenina.

Los hombres manejan el sufrimiento hacia afuera. Generalmente, disfrazan su tristeza buscando un escape, en la bebida por ejemplo, o la transforman en violencia. Las mujeres dirigimos las penas hacia adentro y, como no las exteriorizamos nos lastiman continuamente. Las estadísticas sobre la depresión confirman que hay dos veces más mujeres que hombres clínicamente diagnosticados y/o en tratamiento. Ante un abandono, la mayoría de los hombres, después de "curarse" el dolor en una parranda con sus amigos (a veces también con sus amigas) y de cantarle a la ingrata que se fue, olvidan todo lo bueno y positivo de ella y recuerdan únicamente lo malo y lo negativo, e inmediatamente emprenden la búsqueda de una nueva relación. El abandono arremete contra su virilidad por eso rara vez lo perdonan. En la misma situación de abandono las mujeres se deprimen y lamentan solitarias su dolor, se preguntan en qué habrán fallado, idealizan a quien las dejó recordando lo bueno y positivo y olvidan o minimizan lo malo y lo negativo. Su dolor es una muestra de su amor y de la injusticia de que fueron objeto; esperan y aguardan el día en que él regrese y se de cuenta de cuánto lo querían, y todo vuelva a ser "como antes", como si nunca hubiera pasado nada. El perdón es una manifestación de su bondad y de su amor, por eso las mujeres perdonan a los hombres de su vida, a veces sucesivamente. No es que seamos de planetas diferentes como afirma John Gray en su libro *Los hombres son de Marte y las mujeres de Venus,* sino que sentimos y actuamos como si, en lugar de ser una especie y dos sexos, fuéramos dos especies que comparten el sexo.

DOLOR Y SUFRIMIENTO

Las mujeres vemos algunos conceptos de manera interdependiente, formamos con ellos binomios: dolor-sufrimiento, bien-mal, bondad-virtud, alegría-tristeza son inseparables. Desde pequeñas se nos enseña que vivir es casi lo mismo que sufrir, que todo se logra a base de sufrimiento y que éste da sabiduría y es virtuoso; se nos dice que el mundo "Es un valle de lágrimas". Aun en los acontecimientos más felices hay mujeres que reaccionan con tristeza. Las únicas que lloran en las bodas son las mujeres, como si quisieran comunicar que su matrimonio no fue lo que esperaban. Si acaso les preguntamos el por qué de sus lágrimas nos dirán que "son de felicidad"; yo siempre dudo de la felicidad que sólo se expresa con lágrimas. Si no lo creen, observen sus expresiones y pregúntenles directamente y por sorpresa si son felices, en lugar de un categórico ¡sí! verán su desconcierto y escucharán las más variadas justificaciones de su "no ser felices", pero sin emplear el término "infelices" que se maneja como si fuera una mala palabra. Por eso hay tantas mujeres tristes y no es raro que confundamos el dolor con el sufrimiento y que los consideremos virtuosos.

El dolor es una ruptura de la armonía en nuestra vida, el cual puede ser físico o emocional. En el dolor físico, por lo general, existe una causa externa que lo origina, su magnitud es proporcional al estímulo que lo provoca, ya que el dolor se manifiesta como un efecto. Sin embargo, en el dolor emocional este efecto es personal, debido a que cada individuo procesa de manera particular y diferente las circunstancias o estímulos que le son dolorosos. El dolor físico actúa como un mecanismo de alarma que promueve la búsqueda de solución o el distanciamiento de aquello que lo provoca. Si al lastimarnos físicamente no sintiéramos dolor correríamos el peligro de que el daño fuera mayor. El dolor físico desencadena acciones de defensa: evitar aquello que lo produce o consultar a un médico, fundamentalmente porque sabemos que representa un síntoma que puede estar manifestando una enfermedad. Imaginemos que al subir a un automóvil alguien cierra la puerta y nos machuca los dedos. Si no sintiéramos dolor al instante no nos daríamos cuenta del incidente hasta que quisiéramos utilizar nuestra mano y la viéramos prensada en la puerta. El sólo pensarlo nos resulta absurdo. El dolor físico reclama solución inmediata y es un grito de auxilio. Desafortunadamente, no interpretamos el dolor emocional de la misma forma y, a veces, lo soportamos hasta que tenemos gangrenada el alma.

El dolor requiere de un estímulo mínimo para manifestarse. A este estímulo mínimo se le llama umbral. El ser humano se adapta al dolor físico de manera que los umbrales, o mínimos necesarios de un estímulo que se traducen en dolor, varían según sea nuestra habituación a ellos. De la misma forma, tanto la conciencia como la permanencia del dolor emocional es variable, y tiende a aminorarse con mayor o menor rapidez con el transcurso del tiempo, según la experiencia, el aprendizaje del individuo y la valoración psicológica que le demos al suceso. El dolor es un estado intermedio entre la agresión física o psicológica y el rechazo de ese estímulo, para reestablecer la homeostasis, equilibrio natural al cual nuestro organismo siempre se orienta. Esto nos puede explicar por qué algunas mujeres soportan tratos y circunstancias en sus vidas que a otras les parecen intolerables; simple y sencillamente su umbral de tolerancia es mayor pues se han acostumbrado a lo que viven cotidianamente, sea el desamor, indiferencia, maltrato o golpes. Hay mujeres que se han acostumbrado a lo que para otras es impensable, por tal razón cuando escuchamos sus historias comprobamos que la realidad siempre supera a la fantasía.

El dolor emocional es una forma de liberar energía negativa, originada en una pérdida, una frustración o una circunstancia que nos perjudica. El sufrimiento es la expresión del dolor psíquico o emocional. A veces lo confundimos con el dolor físico porque cuando es muy intenso tiene un componente somático, y en su grado superlativo sentimos que nos duele hasta la sangre. A diferencia del dolor físico, el sufrimiento puede carecer de un estímulo externo, basta con recordar algo triste del pasado o sentir pena por la felicidad que creemos perdida. El sufrimiento no es proporcional al estímulo que lo produce, se dispara por un estímulo interno que se valora subjetivamente. Tampoco disminuye con el transcurso del tiempo, pues cada vez que traemos un recuerdo a la conciencia es tan actual como si sucediera en el presente, aunque sea tan añejo como nuestros recuerdos. Es por esto que se afirma que el sufrimiento es opcional, cada quien decide por qué y cuánto quiere sufrir.

El dolor psíquico o emocional nos obliga a transitar por el valle del sufrimiento, que es la expresión necesaria del duelo para llegar finalmente a la recuperación, pero hay quienes construyen su casa en ese lugar y nunca salen de él. Todas conocemos a mujeres que se instalan en el sufrimiento y no hacen nada para eliminarlo, desean conservarlo pues es una forma de estar en contacto con su pasado. En nuestra cultura se le ha dado una dignidad especial al sufrimiento, como si fuera una constancia que certifica valores muy importantes. Quienes soportan el sufrimiento estoicamente son reconocidas y admiradas: "¡Ha sufrido tanto!" Prueba de ello es que con frecuencia evaden la posibilidad de un cambio positivo en sus vidas y, aunque dicen aspirar a ser felices no hacen ningún esfuerzo por lograrlo, porque piensan que la felicidad no depende de ellas y que la tienen que recibir de "alguien", como quien recibe un regalo.

El miedo a asumir el control sobre la propia vida provoca que se ignore el presente. Para algunas mujeres, tal vez las más tristes, su vida es una sucesión de actos desagradables que les pasan o que otros les hacen. Su vida no se orienta a nada que ellas propicien o realicen por y para sí mismas pues están demasiado ocupadas procurando facilitar la vida y haciendo obras para los demás, al grado que se olvidan de su existencia. El temor al futuro es la consecuencia lógica de la impotencia de ejercer el control sobre nuestra vida en el presente.

Le tememos tanto al porvenir que preferimos no pensar en él. A veces evadimos de tal forma su inminencia que vivimos como si no existiera. La previsión para asegurar un ingreso económico en la vejez es escasa y por ello vemos a tantas mujeres ancianas abandonadas a su suerte. Estas madres que lo dieron todo se quedaron sin nada ni nadie que las apoye y aunque afirmen sentirse satisfechas de haber cumplido con su deber la tristeza siempre se asoma a sus ojos, porque en el

fondo saben que no cumplieron su responsabilidad más importante: la responsabilidad con ellas mismas. ¡Cuánta falta les hizo ser un poco egoístas y quererse tanto como quisieron a los suyos!

El *Pasado* es una cuenta cancelada, el *Futuro* es un cheque sin fondos, el *w* es el único efectivo del que disponemos. La vida se vive hoy, en el presente, aquí y ahora. Tener 50 años es la última llamada para vivir nuestra vida a lo largo y a lo ancho en el aquí y en el ahora. Hay que ser conscientes de que no sabemos cuántos años vamos a vivir, y debemos dejar de posponer las cosas que son importantes. Aunque por el uso se haya desgastado, puedes asumir y hacer cierta la expresión: "Hoy puede ser el primer día del resto de tu vida." De aquí en adelante en vez de añorar el pasado, temer el futuro e ignorar el presente utilicemos las experiencias del pasado, vivamos el presente disfrutando cada minuto y planeemos nuestro futuro. ¡Es hoy o nunca!

RESUMEN

- Con las responsabilidades profesionales, matrimoniales y maternales, donamos casi todo nuestro territorio y terminamos siendo una extraña en nuestra propia vida.
- Las mujeres añoramos el pasado, tememos el futuro e ignoramos el presente.
- Añorar el pasado implica extrañar lo que en su tiempo fue sin gozar plenamente lo que en el presente es; desear lo que tuvimos sin disfrutar lo que tenemos.
- Empezamos a creer que la abuela tenía razón y que: "Todo tiempo pasado fue mejor."
- Nos convertimos en ávidas lectoras de un solo capítulo de nuestra vida, y esta fidelidad al pasado nos hace infieles y poco comprometidas con nuestro presente.
- El puente que conecta el pasado y el futuro no puede existir si no lo cimentamos en el presente.
- Nos sentimos objetos y no sujetos de nuestra propia vida. Esta falta de control provoca que nos aferremos al pasado, debido a que éste sí puede ser controlado, aunque sea a través de nuestros recuerdos.
- Ignorar el presente es no vivir el aquí y el ahora; es instalarnos en el allá y en el entonces.

- A veces no entendemos el término "presente". Al hoy se le dice "presente" porque es un regalo que la vida nos ofrece todos los días.
- Frecuentemente, cometemos el peor delito contra el tiempo, no disfrutar la vida hoy.
- Vivir nuestra vida se transforma en vivirla por y para otros. Se nos inunda la vida de gente, afanes y deberes; olvidamos que nuestra primera responsabilidad es con nosotras mismas.
- El perdón es una manifestación de la bondad y del amor femenino; por eso las mujeres perdonan a los hombres de su vida, a veces sucesivamente.
- El dolor es una ruptura de la armonía en nuestra vida. En el dolor emocional, generalmente existe una causa externa que lo produce, su magnitud es proporcional al estímulo que lo provoca, ya que el dolor se manifiesta como un efecto.
- El dolor físico, a diferencia del emocional, desencadena acciones de defensa para evitar aquello que lo genera.
- El dolor psíquico es una forma de liberar energía negativa, originada en una pérdida, una frustración o una circunstancia que nos perjudica.
- A diferencia del dolor físico, el sufrimiento puede carecer de un estímulo externo, basta con recordar algo triste del pasado o sentir pena por la felicidad que creemos perdida.
- El sufrimiento es opcional, cada quien decide por qué y cuánto quiere sufrir.
- El dolor psíquico o emocional nos obliga a transitar por el valle del sufrimiento, que es la expresión del duelo para llegar finalmente a la recuperación, pero hay quienes construyen su casa en ese lugar y nunca salen de él.
- La previsión para asegurar un ingreso económico en la vejez es escasa, por ello vemos a tantas mujeres ancianas abandonadas a su suerte.
- La vida se vive hoy, en el presente, aquí y ahora. Tener más de 50 años es la última llamada para vivir nuestra vida a lo largo y a lo ancho en el aquí y en el ahora.
- ¿Cómo aplicarías a tu vida el concepto: "Hoy puede ser el primer día del resto de tu vida"?
- ¿Qué proyectos tienes para el futuro?
- ¿Qué es lo que más has disfrutado hoy?
- ¿Vives todos los días *el presente* como si fuera un regalo?
- ¿Qué regalo te dio la vida hoy?

3
CAPÍTULO

Aprendizaje de vida

La felicidad y el sufrimiento
son opcionales, elegimos
lo que creemos merecer.

LA VIDA VIENE SIN INSTRUCTIVO

En una ocasión compré una calculadora de bolsillo muy económica. Incluía un extenso instructivo en ocho idiomas que indicaba los pasos necesarios para acceder a las múltiples funciones matemáticas que su programa contenía, pensé que era irónico que algo tan sencillo como ese pequeño aparato electrónico tuviera información tan completa para poder obtener de él los mejores resultados y sacarle el mayor provecho, y que algo tan importante y complicado como la vida se nos diera sin ningún tipo de indicación. ¿Por qué una simple calculadora trae indicaciones precisas para entender cómo funciona y la vida se nos ofrece sin ningún instructivo? Desde entonces pienso que la vida debería venir con un instructivo. Saber aprovecharla y disfrutarla son tareas que están en nuestro programa vital, pero si no tenemos las claves de acceso no sabremos cómo lograrlo. En algunas ocasiones, desafortunadamente, ni nos enteramos que el programa existe y que forma parte de nosotras.

Me queda claro que todos vivimos nuestra vida como mejor sabemos y podemos. Cada día de nuestra vida es como una noche de estreno, pero a diferencia de lo que ocurre en el teatro: desconocemos el libreto, de modo que la trama y el desenlace son inciertos; actuamos con un elenco sin experiencia, que a veces se integra en el último momento, y casi nunca conocemos a todos los personajes; tenemos un escenario improvisado y cambiante; y, para colmo, nadie dirige la puesta en escena y tampoco se realizan ensayos; no obstante, se espera que todo salga perfecto al primer y único intento. Además del instructivo de vida nos harían falta algunos ensayos con un experimentado y eficiente director de escena. De esta manera, nuestro estreno sería un éxito cotidiano y todos seríamos felices; sin embargo, como las circunstancias de la vida son diferentes y no cumplen con estos ideales, debemos poner los pies en la tierra y sacar el mejor provecho de lo que tenemos y no lamentar nuestras carencias. Seamos conscientes de que en la menopausia estamos iniciando el tercer acto de la obra de nuestra vida y el desenlace depende de nosotras y de las decisiones que tomemos. Hagamos, pues, un instructivo para nuestra vida, escribamos nuestro libreto, actuemos en el papel estelar, formemos un buen elenco, busquemos un agradable escenario, dirijamos nuestros ensayos, y estrenemos cada día una puesta en escena irrepetible, que nos dé la certeza de estar actuando nuestro mejor papel. Así estaremos en el centro de nuestra vida. Ese es el mejor aprendizaje de vida que podemos obtener.

¿DÓNDE SE PERDIÓ MI PROYECTO DE VIDA?

Prácticamente toda mujer, en algún momento de su vida, se percata de que ha perdido su propia ruta y que ha vivido de acuerdo con lo que otras personas esperan de ella. Esto pasa a diferentes edades, pero durante la menopausia el sentimiento es más intenso, y tal vez es la última oportunidad para expresar nuestro propio yo. En esta edad una de las tareas más importantes por realizar es recuperar el derecho que tenemos de percibirnos como la persona más importante de nuestra vida. Aceptar nuestras habilidades y conocimientos, nuestros sentimientos y deseos, es decir, tenemos que introducir importantes cambios en nuestra existencia. Además, debemos revisar y actualizar nuestro proyecto de vida. Al retomar un proyecto que se ha pospuesto, tal vez, durante décadas, nos colocamos en el centro de nuestra vida, lugar que, durante muchos años, lo ocuparon nuestros hijos y marido. Con el tiempo las relaciones de pareja se modifican, los hijos crecen y se van de la casa. Su lugar queda vacío ocasionando que nos percibamos de esa manera, vacías. La única solución es cambiar; al cambiar nosotras, cambia nuestra vida.

Mi prima Sara entró a estudiar arquitectura a los 50 años. Había sido el sueño de su juventud y frecuentemente lamentaba no haberlo hecho en su oportunidad. Comunicó a sus hijas esta decisión unos meses antes de que la menor entrara a la universidad. La joven, inmediatamente después del clásico "Felicidades mamá, que bueno", le dijo: "¿Pero, no vas a ir a mi universidad, verdad? Sería yo la única estudiante del mundo cuya mamá es alumna de su universidad." Sara también había decidido respetar el espacio de su hija y se había inscrito en otra universidad. Durante sus estudios, comunicaba con mucho orgullo que su promedio era uno de los mejores de su clase y que sus energías parecían superiores a las de muchos de sus compañeros. Bromeaba diciendo que no es que tuviera más fuerzas, sino que ella no las desperdiciaba en las discotecas. Al retomar su proyecto de vida, se sentía plenamente feliz y mejoraron sus relaciones con su esposo y con las hijas. Ejerce su profesión y es una de las mujeres más felices que conozco.

Tener claridad en nuestros objetivos es muy importante. Los objetivos son las metas de nuestros proyectos que orientan y dirigen nuestra vida; se fundamentan en nuestros valores, que le dan significado a lo que hacemos, y nos muestran las razones por las cuales nuestras metas son importantes. Los objetivos nos dan las respuestas a las interrogantes vitales: ¿Qué quiero?, ¿por qué lo quiero?, ¿para qué lo quiero?, ¿cuándo lo quiero?, ¿cómo lo quiero?, ¿qué estoy dispuesta a hacer para lograrlo? La mujer que sabe lo que quiere, y además puede contestar estas interrogantes, es muy afortunada, porque tiene sabiduría y madurez.

Cuando faltan los objetivos, no puede existir un proyecto de vida, y la existencia se convierte en una supervivencia que no tiene metas, dirección ni orientación. La carencia de objetivos es el origen de la apatía vital, gente que vive solamente porque no se ha muerto. No existe una manera más triste y desesperada de vivir. En realidad gran parte de estas personas se muere muchos años antes de que la entierren; todo les da igual, no disfrutan nada porque han dejado de vivir la vida, simplemente sobreviven.

Con frecuencia, las mujeres nos adjudicamos los objetivos de nuestros seres amados, principalmente los de los hijos; luchamos por estos objetivos como si nos pertenecieran, es una manera de demostrar nuestro amor por ellos. Así es, así ha sido y seguirá siendo de la misma forma, y nosotras debemos aceptarlo y reconocerlo. Lo realmente importante es que, además de estos objetivos que tomamos prestados, tengamos los nuestros y actuemos para lograrlos.

LA BASURA EMOCIONAL

Cuenta una antigua leyenda oriental que un maestro relataba la siguiente historia a manera de ejercicio a sus alumnos: Había una vez un hombre que tenía que viajar de un pueblo a otro, llevaba en dos sacos su equipaje y algunas de sus pertenencias más valiosas. En el camino se distrajo y tropezó con una piedra. Se puso furioso no por su descuido, sino con la piedra, a la cual insultó durante un rato y terminó diciéndole: "Maldita piedra, mira lo que le has hecho a mi pie", e inmediatamente le dio una patada. Una vez que se le calmó el dolor volvió a maldecirla: "No te sigo pegando porque me duele, pero ni creas que te vas a quedar ahí tan tranquila, en el lugar en que siempre has estado; no, te voy a llevar conmigo."

Y así lo hizo, colocándola dentro de uno de sus sacos. Al poco rato volvió a tropezar con otra piedra y sucedió exactamente lo mismo. Su enojo le hacía querer hacer algo en contra de las piedras con las que tropezaba, y decidió cargarlas y llevárselas a cuestas pero como sólo tenía dos sacos tuvo que ir sacando su equipaje y abandonar en el camino sus valiosas pertenencias. Con las piedras, el peso de su equipaje se volvió tan grande que el hombre ya no podía caminar con los dos sacos, y tomando con ambas manos uno de ellos lo trasladaba un gran trecho y luego regresaba por el otro. Con esto, su marcha se hizo muy lenta, se tardo mucho tiempo en llegar a su destino, terminó agotado y no disfrutó su viaje.

En este punto, el maestro preguntaba a sus alumnos: ¿Qué piensan ustedes de este hombre? Las respuestas no se hacían esperar: "Es un tonto", "Pero qué hombre más necio". "Es absurdo lo que hacía." "Las piedras no sólo no tenían la culpa, sino que era inútil cargarlas." "Pero, ¿qué no se daba cuenta que tuvo que tirar sus cosas valiosas y su equipaje?." "¡Pero si cambió todo por nada!" Entonces el maestro decía: "Efectivamente, tienen ustedes razón. Debemos aprender que lo mismo hacen todos aquellos que cargan las ofensas, los rencores, los agravios que otros les hacen, que son como piedras del camino con las que tropezamos."

Esto es precisamente lo que hacen todos aquellos que no olvidan y cargan el recuerdo de las ofensas y los agravios que sufrieron, a veces también cargan la culpa de sus propias equivocaciones y los lamentos por las cosas que no realizaron. Algunos se lamentan de lo que no tienen sin valorar lo que poseen, y reflejan la tristeza de evocar el pasado, que piensan fue mejor. Todo esto es *basura emocional* y se niegan a deshacerse de ella. La *basura emocional* se forma por las emociones, los sentimientos, resentimientos y recuerdos negativos y desagradables o dolorosos, que deberíamos olvidar para que no nos sigan lastimando y pesando. ¿Qué pensarías de una persona que no tira la basura de su casa y la almacena? Casi diríamos lo mismo que los alumnos que escucharon la historia del hombre que guardaba las piedras con las que había tropezado: "Es una tontería", "pero que necedad", "es absurdo". La basura no nos sirve y estorba; la tiramos porque la lógica y la higiene nos indican que es lo más conveniente. Pero en lo que se refiere a la *basura emocional,* como creemos que no ocupa espacio y no produce olores, la vamos acumulando durante décadas, a veces durante toda nuestra vida. *Viajar ligeras de equipaje* significa no cargar la *basura emocional* que hace de nuestro equipaje vital una pesada carga. Dejemos las piedras con las que tropezamos en el camino y llevemos con nosotras únicamente el aprendizaje que el tropezón nos enseñó para incorporarlo a nuestra experiencia.

En ocasiones, los buenos recuerdos y las experiencias agradables no encuentran lugar dónde albergarse o se pierden entre tanta *basura emocional*. Debemos dejar atrás todas estas experiencias desagradables que producen la *basura emocional,* y no cargar las pesadas piedras de los recuerdos negativos, del rencor y del odio contra los demás o contra nosotros mismos. ¿Será esto lo que hace a algunas personas tan "pesadas"? Si dejamos a un lado esa inútil carga, negándonos a llevarla con nosotros, nuestro camino será más ligero, nuestro paso más seguro y seremos capaces de disfrutar el aquí y el ahora.

DISFRUTAR EL AQUÍ Y EL AHORA

Algunas personas nunca disfrutan el aquí y el ahora; añoran el pasado, temen el presente e ignoran el futuro. Muchas de ellas lamentan no haber gozado lo suficiente cuando ya es demasiado tarde. Quienes añoran el pasado recuerdan; lo cual es muy agradable, pero **no** es vivir. Considero que ese concepto de que "Recordar es vivir" aplica a quienes no disfrutan el momento presente y sustituyen el vivir por el recordar. Es un error ya que nadie ha podido vivir su vida en reversa. Debemos mirar la vida hacia delante, ahí es donde está el futuro, siendo conscientes de que lo que estamos viviendo es el momento presente. Aquellas personas que temen al futuro arruinan su presente, al vivir amargados e infelices por malos augurios que generalmente no se cumplen. Otros tal vez están planeando, lo cual es muy aconsejable, pero hacer planes anticipadamente NO es vivir.

El momento que estamos viviendo es único e irrepetible, y disfrutarlo es vivir plenamente; disfrutar "El Aquí y El Ahora" es saber vivir. Recordemos que al momento que estamos viviendo se le llama *presente*, en realidad es un regalo de la vida, y no gozarlo equivale a recibir este obsequio y no abrirlo. Debemos vivir cada día conscientes de que lo que estamos viviendo es el momento presente, y, disfrutarlo sin mirar atrás, ver solamente hacia delante, ahí es donde se encuentra el futuro. Somos seres únicos e irrepetibles que a diario vivimos situaciones que también son únicas e irrepetibles. Ser feliz es sumergirse en la gran corriente de la vida y gozarla; saber que vivir es un privilegio y la existencia una fiesta; considerar que lo que hemos sido es un hecho establecido e inmutable y lo que aún podemos ser es una oportunidad grandiosa e ilimitada.

Para disfrutar intensamente el aquí y el ahora y viajar ligeras de equipaje debemos de vivir practicando un constante ejercicio, que implica: *desaprender* aquello que nos fue útil y que ha dejado de serlo o ya no lo necesitamos, porque nosotras o las circunstancias han cambiado; *aprender* cosas nuevas para aplicarlas a las nuevas situaciones y experiencias de nuestra vida; *reaprender* aquello que hemos olvidado y que requerimos y *sobreaprender* los conocimientos más importantes que adquirimos y los valores fundamentales, que son como los faros que orientan nuestro viaje.

El maestro, el alumno, la disposición, las aptitudes y actitudes de ambos, así como el contenido del curso, las características del grupo y las condiciones ambientales formarán un resultado multifactorial: el aprendizaje. De la misma manera, quien escribe un libro sólo hace la mitad de la tarea, la otra parte la realiza el lector. Generalmente, cuando leemos un libro tenemos la intención de informarnos sobre un tema que nos interesa y aprender aquello que, quien lo escribió, desea comunicarnos. Este libro desde la óptica del aprendizaje, tiene cuatro metas, las cuales representan cuatro acciones que quiero sugerirte:

1. Desaprender
2. Aprender
3. Reaprender
4. Sobreaprender

Si esta propuesta te parece extraña eres bienvenida al club de quienes creen que en la vida todo es aprender, aprender y aprender. A veces lo que nos hace falta es *desaprender* para eliminar de nuestro repertorio conductas y aprendizajes que ya no nos sirven, nos estorban o nos perjudican. Es una manera de introducir cambios en nuestra vida. A veces lo que desaprendemos es *basura emocional* que nos hace la vida difícil. La *basura emocional* tiene muchos elementos negativos que sería conveniente que olvidáramos para vivir mejor.

Aclaremos estos conceptos sobre el aprendizaje ampliado.

1. Desaprender significa eliminar de nuestro repertorio de conducta todo aquello que hemos aprendido y que ya no nos sirve o nos perjudica. *Desaprender* es perderle credibilidad a un *aprendizaje* que previamente nos fue muy útil, pero que en el momento presente no sólo no nos es útil sino que nos daña o nos estorba. Por esta razón y buscando nuestra conveniencia lo eliminamos de nuestros patrones de conducta y lo sustituimos por un nuevo *aprendizaje*. Cuando una persona entra a psicoterapia uno de los principales objetivos del psicoterapeuta, además de comprender la problemática, es lograr que el paciente modifique su conducta en las áreas donde tiene conflictos. Dicha modificación no es solamente un cambio, es en realidad un *desaprendizaje*. A veces *desaprender* es dejar de escuchar nuestras voces internas negativas, aquellas que nos descalifican y nos agreden, y *aprender* a escuchar nuestras voces internas positivas.

2. Aprender es adquirir los conocimientos y las actitudes necesarias para resolver los problemas que se nos presentan. Se dice que el *aprendizaje* tiene como resultado la modificación de la conducta, porque proporciona enseñanzas que somos capaces de seleccionar para una mejor adaptación a las circunstancias. *Aprender* significa hacer nuestra una información y almacenarla en la memoria para usarla posteriormente. Implica conocer cosas nuevas, estar abiertas al cambio y a la información transformadora. El proceso de aprendizaje dura toda la vida y hay muchos tipos de *aprendizajes* –por imitación, por aversión, social, por ensayo y error, intelectual–. Cuando hay un *desaprendizaje*, éste siempre es sustituido por un nuevo *aprendizaje*, que será más adecuado y actualizado para las condiciones que estamos viviendo. Podemos *desaprender* a tener miedo o a expresar actitudes negativas, y *aprender* a sentirnos más seguras y a expresar actitudes positivas.

3. Reaprender quiere decir *aprender* nuevamente algo que ya habíamos aprendido, pero que no aplicábamos porque cayó en el desuso o fue olvidado. Es hacernos conscientes y retomar para nuestro beneficio los *aprendizajes* positivos que no utilizamos o darles un nuevo valor que resulte más significativo y útil. Es cambiar las actitudes negativas y escuchar nuestras voces internas positivas. El *reaprendizaje* tiene la ventaja de lograrse más rápido que el *aprendizaje*, ya que la información no es nueva y prácticamente estamos recordando algo que estaba almacenado, más que en la memoria, en el subconsciente. Una afirmación referente al *reaprendizaje* es aquella que dice: "Cuando el alumno está listo aparece el maestro." El maestro siempre estuvo ahí enseñando, pero el alumno *reaprende* sus enseñanzas en el momento en que está dispuesto.

4. Sobreaprendizaje implica dar una valoración muy especial a lo que se ha *aprendido* o *reaprendido*. Es un acto voluntario, ya que conlleva un juicio referente al contenido del *sobreaprendizaje*. Esta valoración coloca la información *sobreaprendida* en un lugar preponderante y le otorga un sitio sobresaliente en nuestra escala de valores. *Sobreaprendemos* aquello que tiene un significado muy especial para nosotros o que reviste especial importancia. Aquello en lo que realmente creemos y estamos dispuestos a defender son *sobreaprendizajes* que identifican nuestras convicciones más profundas. Los *sobreaprendizajes,* por ser tan significativos para la persona, son muy difíciles de *desaprender*.

VIAJAR LIGERAS DE EQUIPAJE

Disfrutar el aquí y el ahora es algo que todos anhelan y que muy pocos logran. Vivir se puede equiparar a viajar a través de la existencia, y para lograr disfrutar del viaje debemos aprender a ir ligeras de equipaje. Sin embargo, existen muchas cosas que ocasionan que nuestro equipaje sea pesado, voluminoso y a veces doloroso. Viajar ligeras de equipaje no se refiere a evitar acumular cosas materiales, sino a respetar las leyes del mundo y no irritarse con ellas; es entrar en el curso de la vida con gozo y aceptación, no enemistarse contra nada, dejar que las personas sean lo que son y no pretender doblegar su voluntad. Asimismo quiere decir aceptar las cosas como son, permitirles pasar a tu lado sin torcer su rumbo, y abandonar la falsa pretensión de ser gerentes generales del mundo.

Desaprender, aprender, reaprender y sobreaprender nos permiten eliminar las cargas que nos impiden viajar ligeras de equipaje. Algunas de las cargas más frecuentes, que las mujeres llevamos a cuestas, y las posibles soluciones son:

- *Desaprender* a considerarse seres ilimitados. *Aprender* a decir "no".
- *Desaprender* a no aceptar pérdidas inevitables. *Aprender* a "Dejar ir".
- *Desaprender* a vivir en el "Ayer" y para el "Mañana". *Aprender* a vivir el aquí y el ahora.
- *Desaprender* a vivir en la fantasía. *Reaprender* a identificar la realidad, y que las personas, los acontecimientos y las cosas no siempre son como nosotras queremos.
- *Desaprender* la impotencia aprendida, el "no puedo", y *aprender* a modificar nuestras actitudes, el "yo puedo".
- *Desaprender* la resistencia al cambio. *Reaprender* la aceptación de lo nuevo.
- *Desaprender* el no saber perdonar, el ser rencorosa, y *aprender* a olvidar los agravios.

Tres preguntas fáciles de plantear, pero muy difíciles de contestar, se imponen en este momento: ¿Cuál es tu carga personal? ¿Qué desaprendizajes, aprendizajes, reaprendizajes o sobreaprendizajes necesitas para superar esa carga? ¿Describe qué significaría para ti viajar ligera de equipaje y por qué no lo haces? Cuando nos desprendemos de estas cargas no les cobramos facturas ni a los nuestros ni a la vida y viajamos ligeras de equipaje.

RESUMEN

- Una simple calculadora trae indicaciones precisas para entender cómo funciona y la vida se nos da sin un instructivo.
- Saber aprovechar y disfrutar la vida son tareas que están en nuestro programa, pero si no tenemos las claves de acceso no sabremos cómo lograrlo.
- Hagamos un instructivo para nuestra vida y actuemos nuestro mejor papel.
- Prácticamente toda mujer, en algún momento de su vida, se percata de que ha perdido su propia ruta y que ha vivido de acuerdo con lo que otras personas esperan de ella. Esto pasa a diferentes edades, pero durante la menopausia el sentimiento es más intenso, y tal vez la última oportunidad para expresar nuestro propio yo.

- En esta edad una de las tareas más importantes por realizar es recuperar el derecho que tenemos de percibirnos como la persona más importante de nuestra vida.
- Al retomar un proyecto que se ha pospuesto durante décadas nos colocamos en el centro de nuestra vida.
- Cuando faltan los objetivos no puede existir un proyecto de vida, y la existencia se convierte en una supervivencia que no tiene metas, dirección ni orientación. La carencia de objetivos es el origen de la apatía vital, gente que vive solamente porque no se ha muerto.
- La *basura emocional* son las emociones, los sentimientos, resentimientos y recuerdos negativos y desagradables que nos resultan dolorosos. Deberíamos olvidarlos para que no nos sigan lastimando.
- Como creemos que no ocupa espacio y no tiene peso, vamos acumulando *basura emocional* durante décadas, a veces durante toda nuestra vida.
- Si dejamos a un lado esa inútil carga, negándonos a llevarla con nosotros, nuestro camino será más ligero, nuestro paso más seguro, y seremos capaces de disfrutar el aquí y el ahora; algo que todos anhelan y que muy pocos logran.
- Viajar ligeras de equipaje es dejar que las personas sean lo que son y no pretender doblegar su voluntad; aceptar las cosas como son y permitirles pasar a tu lado sin torcer su rumbo; abandonar la falsa pretensión de ser gerentes generales del mundo.
- Muchas personas lamentan no haber gozado suficientemente la vida cuando ya es demasiado tarde.
- Saber vivir es considerar que lo que hemos sido es un hecho establecido e inmutable, pero que lo que aún podemos ser es una oportunidad grandiosa e ilimitada.
- Este libro, desde la óptica del aprendizaje, tiene cuatro metas que representan acciones, las cuales quiero sugerirte para tu beneficio: Desaprender, Aprender, Reaprender y Sobreaprender.
- *Desaprender* significa eliminar de nuestro repertorio de conducta todo aquello que hemos aprendido y que ya no nos sirve o nos perjudica.
- *Aprender* es adquirir los conocimientos y las actitudes necesarias para resolver los problemas que se nos presenten.
- *Reaprender* quiere decir aprender nuevamente algo que ya habíamos aprendido, pero que no aplicábamos porque cayó en el desuso o fue olvidado.
- *Sobreaprendizaje* implica dar una valoración muy especial y otorgarle una importancia sobresaliente, en nuestra escala de valores, a lo que se ha aprendido o reaprendido.

● *Desaprender, aprender, reaprender y sobreaprender* nos permiten eliminar las cargas que nos impiden viajar ligeras de equipaje.

A lo largo de nuestra vida vamos aprendiendo una serie de cosas que con el tiempo ya no nos son útiles y, francamente, nos estorban o nos son perjudiciales. En este capítulo hablamos sobre el *desaprendizaje* como uno de los objetivos de este libro. La pregunta que te voy a hacer representa la reflexión más importante de esta lectura: ¿Cuáles son los *desaprendizajes* que debes llevar a cabo en ti para elevar tu calidad de vida y ser feliz?

4

El mito de la buena mujer

Querer y procurar algo para sí mismas
representa un conflicto de valores para
muchas mujeres, que viven como imposible
negarse a hacer por los demás todo lo que
son incapaces de hacer por ellas.

Una de las principales ocupaciones de la mujer es "ser buena". Ser buena más que un código de conducta o un deseo, se convierte en la principal preocupación femenina; la bondad se expresa en todas las cosas que la mujer hace. La mujer ama, da, crea, trabaja, planifica, organiza, arregla, escucha, cuida, aconseja, ayuda, se esfuerza y siempre procura estar presente para apoyar emocionalmente a todas las personas que son importantes en su vida. Desafortunadamente la mujer se excluye de su bondad, porque se esfuerza tanto en ser buena con todos que se le olvida que también puede y debe ser buena consigo misma.

El valor ético de la bondad ha sido destacado como una de las mayores virtudes del ser humano, pero esta virtud se hace negativa cuando se exagera y no se aplica a uno mismo. En muchas mujeres el imperativo de "ser buena" se convierte en un impedimento para ser felices o, cuando menos, vivir satisfechas. Frecuentemente, la bondad se emplea como si fuera un pasaporte para ser reconocida y/o amada, pero cuando esto no sucede, en lugar de sentirse satisfecha por haber actuado bien, la mujer se pregunta: ¿Qué hice mal?, ¿en qué fallé? Al sentirse mal y poco reconocida, la llevan a pensar: "¿Por qué si soy tan buena… me siento tan mal?"

Vivir continuamente preocupadas por ser buenas nos impide reconocer y expresar nuestras cualidades. El fantasma de "pude haberlo hecho mejor" no nos permite estar satisfechas con ninguna cosa que hacemos. La bondad femenina a veces no se nota porque es considerada parte de la naturaleza de las mujeres. Lo que en ocasiones no entendemos es que lo que buscamos es reconocimiento externo; pensamos que necesitamos ser mejores, y así es como llegamos a ser demasiado buenas. De tanto escuchar que las mujeres somos buenas, que la virtud es uno de nuestros máximos valores y que debemos y tenemos que ser buenas para que nos acepten y nos amen, hemos terminado por creérnoslo. Una "buena mujer" nunca experimenta conscientemente emociones, sentimientos o deseos negativos que son catalogados como "malos" en ella y "buenos" si es un hombre quien los expresa, tal es el caso de la agresión y la ira.

Carl G. Jung, al hablar de los arquetipos, afirmaba que al nacer somos perfectas porque abarcamos la totalidad de los sentimientos humanos. Somos pasivas y activas, buenas y malas, cariñosas y distantes pero la cultura nos obliga a desarrollar únicamente aquellas capacidades consideradas femeninas y aceptables para una mujer. La parte visible que mostramos al mundo corresponde a las características que se esperan de nosotras; la parte no desarrollada o suprimida por la cultura se encuentra dentro de nosotras, es aquello que no exhibimos, a veces ni siquiera sabemos que existe en nuestro interior, y que constituye "la sombra". De esta manera se nos ha enseñado a las mujeres a ser como somos, básicamente buenas, y a reprimir la ira y el enojo, es decir, la sombra de nuestra personalidad.

Muchas culturas expresan la creencia en la dualidad de la naturaleza humana. Los orientales le llaman el *ying* y el *yang*; representan los polos opuestos, lo frío y lo caliente, la luz y la oscuridad. Ellos afirman que los opuestos forman un todo y sus partes las identifican como masculino o femenino, y ambas partes se complementan. Los patrones culturales siguen reforzando como rasgos femeninos ciertas características como la pasividad, la dependencia, la sensibilidad y el afecto, de la misma manera que identifican como masculinas aquellas características asociadas con el anhelo de competir y ganar. Ganar y mantener un lugar preponderante está estrechamente vinculado con el deseo de ejercer y conservar la autoridad y el poder. Tradicionalmente, los patrones de conducta masculinos favorecían, en los hombres, el lograr fuerza física como expresión de poder y de dominio. En cambio, a pesar del barniz compensatorio de altruismo, los roles femeninos que exigen actitudes humildes y serviles colocaban a las mujeres en un papel de sometimiento. Esto que en un día fue la generalidad, no siempre lo es hoy, y deseamos que no lo sea en el futuro.

Los antropólogos explican que, en los tiempos prehistóricos, el poder siempre estuvo asociado con la fuerza, los músculos y la capacidad de defenderse. Esto siempre excluía a las mujeres, a quienes únicamente se educaba para ser compañeras sexuales y madres. Más tarde, el poder fue ejercido por quienes tenían capacidad económica, herramientas, armas, técnica o destrezas específicas. Posteriormente, ha sido ostentado por aquellos con habilidades intelectuales –inteligencia, lógica, memoria, previsión e imaginación– más desarrolladas. Hoy, a esta lista de capacidades humanas se tiene que agregar la información. Muchos paradigmas han sido remplazados y otros se están cambiando, tal vez uno de los más importantes se refiere a la igualdad de hombres y mujeres. Los cambios, en la actualidad, forman una parte fundamental del desarrollo, y no somos sólo las mujeres las que buscamos este cambio, la cultura debe promoverlo para aprovechar las potencialidades de las mujeres, principalmente las intelectuales, que hasta hoy han sido subempleadas.

Las mujeres vamos por la vida con la terrible carga de la bondad, la abnegación, la entereza y la autodescalificación. Cuando los sentimientos considerados no femeninos dejan de ser sombra y llegan a la conciencia, generan culpa, ya sea que se expresen o no, es decir, culpa por la acción o por la omisión. Nos negamos la posibilidad de elegir ser o no ser buenas y ni siquiera nos permitimos sentir, pensar o expresar emociones que se consideren negativas. Sin embargo, estas emociones no desaparecen al no ser expresadas, simplemente están contenidas y en contenerlas a veces se nos va la vida. Comúnmente, estos sentimientos no expresados buscan otras maneras de manifestarse y producen enfermedades. Yo no creo que la mujer sea toda bondad, creo que es un ser humano con virtudes y defectos, con emociones positivas y negativas, y con muchos sentimientos de culpa e inadecuación al experimentar aquellos que le han dicho que son "malos". Es por ello que se nos dificulta reconocer ciertos sentimientos como la ambición, la ira o la agresividad.

Querer y procurar algo para sí mismas representa un conflicto de valores para muchas mujeres que viven como imposible negarse a hacer por los demás todo lo que son incapaces de hacer por ellas. Como se espera de nosotras que seamos dadoras infinitas de afecto incondicional, de apoyo y de sustento vital, somos indefensas ante los sentimientos de culpa que afloran siempre que creemos que no somos todo lo "buenas" que pensamos debiéramos ser. Vivimos según normas y patrones que hemos hecho nuestros, pero que para determinarlos nunca fuimos consultadas y hemos aceptado lo que la cultura patriarcal ha ordenado. Así fue como el obedecer se convirtió en una forma de ser. Es necesario que la mujer aprenda a pedir, reclamar, quejarse, romper reglas o rebelarse contra aquello con lo que no está de acuerdo. Debemos dejar de tener miedo y adquirir seguridad y aplomo para expresar nuestras necesidades y opiniones.

Las mujeres hemos encontrado muy buenas justificaciones para nuestra conducta tradicional. Saber que no estamos al mando nos permite disfrutar el no tener esa responsabilidad y participar de las emociones de ir junto al jefe. Gozar de su protección nos hace menos frágiles ante nuestros ojos, aunque hemos llegado a ser dependientes y casi simbióticas. Eludimos la responsabilidad de tomar decisiones; nos preocupamos y ocupamos por agradar a los hombres de nuestras vidas, obteniendo su amor, aprecio o reconocimiento por hacer lo que de nosotras se espera. Sí, con frecuencia entregamos el poder y nuestras vidas, pensando que sólo así seremos amadas y estaremos seguras. ¿Quién nos enseñó que al restar sumamos? Vivir nuestra vida se transforma en vivirla por y para otros. De esta manera, se nos inunda la existencia de gente y afanes, olvidando la que es nuestra primera responsabilidad: aquella que tiene que ver con nosotras mismas.

Le hemos apostado todo a la bondad y esta apuesta a veces se revierte contra nosotras. El deseo de ser "una buena mujer" en ocasiones se convierte en un grillete que nos impide desarrollarnos, ser conscientes de nuestro potencial, tomar las decisiones que nos convienen y colocarnos en el centro de nuestra vida, para dirigirnos al logro de nuestras metas, para defendernos si somos agredidas o para superarnos y ser mejores personas.

El querer ser una buena mujer, antes que nada y por encima de cualquier cosa, es una forma de bloquear nuestro propio desarrollo. Por ello vemos por todos lados tantas mujeres tristes o francamente depresivas; algunas se ocultan bajo un maquillaje impecable y vestidos a la última moda. Otras se esfuerzan haciendo, organizando y encargándose de divertir a los suyos para hacerlos felices, aunque cuando son incapaces de hacer, organizar y divertirse por y para ellas mismas. Muchas han olvidado cómo ser felices, porque han anestesiado sus propios deseos y los han sustituido por todo lo que quieren para los suyos, pues eso es lo único que se permiten desear. Han dejado de "ser" para sólo "hacer". Aunque se digan a sí mismas: *"no importa"*, en realidad, únicamente quieren creer que no importa, porque no se atreven a decirse *"no me importo"*; su única prioridad en la vida es ser "una buena mujer", aunque sean malas consigo mismas.

Las "buenas mujeres" sólo consideran los deseos y las necesidades de los demás, principalmente los de su familia. Este proceso se inicia en la infancia, cuando se condiciona el amor de los padres a una determinada forma de comportarse, culturalmente reconocida como femenina. Así empieza nuestro entrenamiento, buscando complacer a papá, a mamá y a los hermanos; luego agregamos a la pareja y terminamos complaciendo, ya por hábito, a los hijos. Y sucede que al cumplir 50 años algunas mujeres hacen un alto en el camino para pensar en sí mismas (¡Ya era hora!). Se percatan que ya han vivido dos terceras partes de su vida y no saben hacer otra cosa que vivir para los demás. Otras creen que para ellas es ya demasiado tarde, no reconocen la posibilidad de cambio y su vida se reduce a la melancolía; sus deseos, gustos, intereses y metas se quedaron por el camino. Han perdido de vista su proyecto de vida y sus objetivos; sus metas del pasado resultan anacrónicas en el presente. Por las constantes renuncias ya no identifican sus gustos y deseos, en el peor de los casos, han dejado de desear, es como si de tanto contemplar el paisaje se hubieran convertido en una de sus partes. No tienen metas personales y, a veces, se sienten como un implemento doméstico que funciona sin electricidad. Así, poco a poco empiezan a formar parte de "La hermandad de las mujeres tristes".

En este proceso la mujer se ha dejado arrebatar de la mano muchas cosas. Le han quitado la confianza en sus propias fuerzas y capacidades y la fe en un mejor futuro. Se siente incompleta e incompetente si no tiene junto a un hombre que la proteja, pues experimenta el mundo lleno de peligros insuperables. Ha perdido sus metas y, al verse sin rumbo, necesita que le digan qué hacer y a donde ir. Busca desesperadamente amor y aceptación, creyendo que se le otorgan por comportarse como se espera de ella, no por ser quien es. Ignora que así es como se convirtió en un territorio sin fronteras propias, pues no es ella quien determina cómo desea vivir, qué quiere y qué es lo correcto o lo incorrecto. A la mujer le han expropiado la confianza en su capacidad para decidir su propia vida y para solucionar los problemas según su criterio. Por ello, necesita ser reafirmada continuamente por su entorno, el cual le proporciona la seguridad en sí misma que ella no posee.

La mujer ha sido despojada de su autoestima, sustituyéndola por la dependencia al juicio externo; su orgullo ha sido suprimido en aras del deseo de agradar y complacer. Una mirada de reprobación es suficiente para que se desanime de cualquier proyecto y regrese al redil. Se le ha hecho sensible a los demás e insensible a sí misma, considerada con todos menos consigo misma, capaz de cualquier servicio e incapaz de servirse; sumisa e impotente para hacer valer sus derechos. Su orgullo de ser se ha desintegrado junto con la habilidad de cuidarse y protegerse. Una mujer cuando está enamorada considera que cualquier sacrificio o humillación valen el privilegio de ser amada y aceptada. Por tal razón, por lo general elige una pareja que no le conviene; vive ignorando que el amor es aceptación, cuidado y respeto y jamás acepta humillar ni sacrificar al ser amado.

Podríamos pensar que estas son características que identifican a la mujer latinoamericana, pero también corresponden a las culturas sajonas. La psicóloga alemana Ute Ehrhardt comenta que:

> El equilibrio entre los propios deseos y la consideración a los demás es difícil. Muchas mujeres no saben identificar cuáles son sus verdaderas necesidades. En un determinado momento pueden llegar a pensar que lo que los otros proponen es lo que ellas desean y lo que les conviene. Con el tiempo acabarán por sentirse descontentas y no sabrán por qué.

Desafortunadamente, este descontento se incrementa y acumula, expresándose como desencanto, amargura o tristeza, todas inseparables compañeras de la infelicidad. El proceso de aprendizaje para llegar a ser una "buena mujer" puede revertirse *desaprendiendo* mucho de lo que se nos ha hecho creer que significa ser "buena". De esta manera, se *aprende* que la bondad empieza por una misma.

A lo largo de mi vida profesional, he tratado a muchas mujeres que son perfectos ejemplos de "buenas mujeres", y he encontrado las siguientes características en su manera de pensar:

- Ser mujer implica aceptar y seguir los códigos de conducta establecidos.
- Estos códigos no deben cuestionarse: "Simplemente, entender que así son las cosas."

- Quien no acepta esos códigos se convierte en una "mala mujer".
- Las mujeres "malas" no son amadas ni aceptadas.
- El rechazo y la falta de amor son lo peor que le puede pasar a una mujer.
- Es su obligación ajustar y adaptar su vida al servicio de los demás.
- Sacrificar sus deseos, intereses y metas es la consecuencia de esta obligación.
- No creen que exista relación entre estas actitudes y su insatisfacción, melancolía, tristeza, depresión, amargura, insatisfacción y/o mal humor.
- No hay puntos intermedios entre una "buena mujer" y una "mala mujer". Todo es blanco o negro, el gris no existe.
- La autoafirmación se considera casi un pecado y es generadora de culpa.
- La no aceptación absoluta de estos postulados origina culpa.
- La culpa tiene diferentes expresiones y se retroalimenta a sí misma.

Estas creencias son el resultado de un perfecto *aprendizaje*. Pareciera ser que en realidad la mujer no es educada sino domesticada. Nos educan para actuar en beneficio de todos, menos de nosotras mismas, y este *aprendizaje* es tan eficaz que incluye el convencimiento de que de no actuar así dejaríamos de ser nosotras. El *desaprendizaje* de estas creencias no implica sustituir el adjetivo de buena por el de mala mujer, lo que pretendo es que el cumplimiento de dichas creencias no determine el valor femenino. Se requieren *nuevos aprendizajes,* y tal vez el más importante es que la bondad empieza por una misma y después por quienes la merezcan y agradezcan. No tenemos por qué regalar indiscriminadamente nuestra bondad; si ser buena con los demás supone ser mala consigo misma, no se es buena, simplemente se está sacrificando a sí misma.

Cuando, en las relaciones con una pareja, la mujer pone en primer lugar el amor por sí misma y después el amor por su pareja, generalmente es juzgada como una mujer fría, egoísta y calculadora. Jamás se dice de ella que es una mujer inteligente con una buena autoestima. Asimismo, nunca se le estimula a defenderse de los abusos y agresiones físicos o emocionales, y su deseo de ser siempre buena con todos la deja en una situación de indefensión. La mujer debe aprender a "Darle a Dios lo que es de Dios y al César lo que es del César". Quererse a sí misma antes que necesitar ser querida es saber jugar bien el póquer de la vida y saber que una de las reglas del juego es "como las veo las doy", para entregar las cartas abiertas o cerradas según sea el caso, sin seguir apostándoles a las cartas que la experiencia le ha mostrado que van a perder.

En la actualidad, la mujer debe aprender a ser buena con quienes son buenos con ella, indiferente con quienes así lo sean y mala con quien mal la trate. Esto es establecer una ley de equilibrio y correspondencia, pues sólo cuando contestamos en el mismo tono con el que somos tratadas realmente sabemos que somos iguales. Además con esta conducta damos indicaciones claras y precisas de cómo queremos y merecemos ser tratadas.

La bondad genérica representa una pesada carga para la mujer, ya que implica eliminar una parte muy importante de la naturaleza humana: la capacidad de autodefensa frente a un peligro o agresión, se manifiesta a través de enojo, ira, agresión o furia. Estas emociones no desaparecen al reprimirlas, se conservan y se acrecientan internamente; el miedo a aceptar emociones consideradas negativas ocasiona que se expresen como todo lo contrario: se convierten en bondad, obediencia, abnegación y sumisión. Estas emociones trastocadas son como sus iniciales, unas boas que comprimen e inmovilizan a la mujer.

- **B**ondad
- **O**bediencia
- **A**bnegación
- **S**umisión

De aquí al sacrificio de la propia vida por los demás, para ser catalogada como una "buena mujer", sólo hay un paso: la aceptación sin cuestionamientos de esos modelos, como algo que se ha decidido ser "voluntariamente".

Yo no propongo dejar de hacer cosas por los demás, especialmente por nuestra familia. Lo que sugiero es no excluirnos de nuestros valores y ser conscientes de la obligación que tenemos de darnos una parte proporcional de nuestra propia bondad. Cuidarnos y atendernos es ser responsables de nosotras mismas; ser portavoces de nuestras necesidades y deseos es saber autoafirmarnos. Si ser buena con los demás implica ser mala con nosotras, entonces no puede ser tan bueno. Eres demasiado buena cuando el "ser buena con los demás"

implica que estás actuando en contra de tus propios intereses. Este tipo de bondad te perjudica porque conlleva ponerte en desventaja y excluirte de tu propia bondad.

Eres demasiado buena cuando:

- Te pones estándares irreales que difícilmente puedes alcanzar.
- Te sientes orgullosa de ser muy buena y te excluyes de tu bondad.
- Vives continuamente preocupada por complacer a los demás.
- Prefieres complacer a otros que a ti.
- Te sientes culpable si no complaces a los demás.
- Actúas en contra de tus intereses para favorecer a otra persona.
- Asumes responsabilidades que **no** te corresponden.
- Piensas que eres la única responsable del bienestar de los que amas.
- Consideras tu responsabilidad el hacer felices a quienes amas.
- Estás disponible en todo momento para satisfacer las necesidades de otros.
- Los demás dan por contado que tú cumplirás con sus deseos.
- Renuncias a algo que es importante para ti por complacer a otros.
- Supones que cuanto más hagas por otros más te valorarán y te amarán.
- Sientes que a pesar de lo que haces por los demás nunca te lo agradecen lo suficiente.
- Sientes que siempre das más de lo que recibes.
- No pones límites ni permites que las personas sepan lo que realmente piensas, quieres o necesitas.
- Siempre encuentras disculpas para el comportamiento desconsiderado de los demás.
- Te juzgas muy duramente.
- Te sientes vulnerable ante los juicios de los demás.
- Sientes que a veces abusan de ti, pero jamás lo dices.
- No crees merecer que los demás hagan cosas por ti.
- Te es difícil expresar lo que necesitas.
- Te conformas con lo que te dan, aunque sepas que mereces más.
- Evitas molestar a la gente.
- Cuando pides algo, inicias diciendo "Discúlpame…".

RESUMEN

- Una de las principales ocupaciones de la mujer es "ser buena". Ser buena es más que un código de conducta o un deseo, se convierte en la principal preocupación femenina.
- Desafortunadamente, las mujeres nos excluimos de nuestra bondad, porque nos esforzamos tanto en ser buenas con todos, que se nos olvida que también debemos ser buenas con nosotras.
- En muchas mujeres, el imperativo de "ser buena" se convierte en un impedimento para vivir felices o, cuando menos, satisfechas.
- Vivir continuamente preocupadas por ser buenas nos impide reconocer y expresar nuestras cualidades. El fantasma de "pude haberlo hecho mejor" no nos permite estar satisfechas con ninguna cosa que hacemos.
- Se nos ha enseñado a las mujeres a reprimir la ira y el enojo, es decir, la sombra de nuestra personalidad.
- Los patrones culturales siguen reforzando como rasgos femeninos ciertas características como la pasividad, la dependencia, la sensibilidad y el afecto.
- Muchos paradigmas cambian, uno de los más importantes se refiere a la igualdad de los hombres y las mujeres.
- La cultura debe promover este cambio de paradigmas para aprovechar las potencialidades de las mujeres, principalmente las intelectuales, que hasta hoy han sido subempleadas.
- Las mujeres vamos por la vida con la terrible carga de la bondad, la abnegación, la entereza y la autodescalificación.
- Querer y procurar algo para sí mismas representa un conflicto de valores para muchas mujeres que viven como imposible negarse a hacer por los demás todo lo que son incapaces de hacer por sí mismas.
- Es necesario que la mujer aprenda a pedir, reclamar, quejarse, romper reglas o rebelarse contra aquello con lo que no está de acuerdo.
- Vivir nuestra vida se transforma en vivirla para y por otros. Así se nos inunda la existencia de gente y afanes, olvidando la que es nuestra primera responsabilidad… aquella con nosotras mismas.
- El deseo de ser "una buena mujer" en ocasiones se convierte en un grillete que nos impide desarrollarnos, ser conscientes de nuestro potencial, tomar las decisiones que nos convienen, y colocarnos en el centro de nuestra vida.
- Muchas mujeres han olvidado cómo ser felices, porque han anestesiado sus propios deseos y los han sustituido por todo lo que quieren para

los suyos, pues eso es lo único que se permiten desear. Han dejado de "Ser" para sólo "Hacer".

- Al cumplir 50 años, algunas mujeres hacen un alto en el camino para pensar en sí mismas (¡Ya era hora!), y se percatan que ya han vivido dos terceras partes de su vida y que no saben hacer otra cosa que vivir para los demás.
- A la mujer le han expropiado la confianza en su capacidad para decidir su propia vida y para solucionar los problemas según su criterio.
- El proceso de aprendizaje para llegar a ser una "buena mujer" puede revertirse *desaprendiendo* mucho de lo que se nos ha hecho creer significa ser "buena". De esta manera se aprende que la bondad empieza por una misma.
- Se requieren *nuevos aprendizajes,* y tal vez el más importante es que la bondad empieza con una misma y después por quienes la merezcan y agradezcan.
- No tenemos por qué regalar indiscriminadamente nuestra bondad. Si ser buena con los demás implica ser mala consigo misma, no se es buena, simplemente se sacrifica a sí misma.
- En la actualidad, la mujer debe aprender a ser buena con quienes son buenos con ella, indiferente con quienes lo sean y mala con quien mal la trate. Esto es establecer una ley de equilibrio y correspondencia, pues sólo cuando contestamos en el mismo tono con el que somos tratadas, realmente sabemos que somos iguales.
- Yo no propongo dejar de hacer cosas por los demás, especialmente por nuestra familia. Lo que sugiero es no excluirnos de nuestra bondad y ser conscientes de la obligación que tenemos de darnos una parte proporcional de nuestra propia bondad.
- Ejemplifica cómo podrías aplicar los conceptos de este capítulo a tu vida.
- ¿Qué cosas haces por tu familia que ella puede hacer por sí misma?
- ¿Qué harías si fueras buena contigo?
- ¿Por qué no lo haces?
- ¿Qué cambios podrías llevar a cabo para elevar tu calidad de vida?

CAPÍTULO **5**

El club de la vela perfecta

Nuestro continuo deseo de perfección es la manera más segura de obtener reconocimiento externo ante nuestra incapacidad para valorarnos positivamente. Queremos oír en el exterior lo que desearíamos decirnos a nosotras mismas.

La vida para muchas mujeres es como un péndulo, ellas oscilan entre la conciencia de su imperfección y la búsqueda de la perfección. Esta terrible verdad, como otras muchas respuestas sobre nuestra psicología, es percibida por la mujer cuando cumple 50 años e inicia una nueva etapa de su crecimiento y desarrollo personal. Generalmente, es doloroso hacerse consciente del esfuerzo tan grande que hacemos por mostrar, y a veces por demostrar, nuestras habilidades.

La psicoterapeuta Judith Viorst afirma que:

Quienes se han sometido al prurito de la autosuperación se distraen ocupando su tiempo. Corren demasiado rápido al darse cuenta de lo que han perdido. Y aunque aprender nuevos oficios y volver a reciclarse puede ser una experiencia positiva, una actividad demasiado frenética también tiene su precio. Puede servir como una manera de evitar la confrontación con la edad al centrarse sobre un desarrollo exterior en lugar de interior y también puede ser muy agotador.

Viorst explica la necesidad, a veces compulsiva, de la mujer en la edad dorada de ser perfecta y de hacer muchas cosas, tal vez demasiadas. Esta actividad sin descanso es una forma de querer mostrar su juvenil energía, sus habilidades, la claridad de sus metas y, sobre todo, su perfecta capacidad de ser perfecta. Aunque, en realidad, lo que demuestra es confusión, falta de metas y objetivos claros.

LA SUPERMUJER

Nunca ha existido, como ahora, tanta presión sobre la mujer para que demuestre eficacia en tantas actividades a un nivel de perfección. Aparte de ser fuertes y no permitir que nuestras emociones nos controlen, esperamos ser competentes en nuestro trabajo, ser buenas madres y estar al pendiente de la educación y la vida de nuestros hijos; llevar un buen matrimonio, disfrutar el sexo, ser unas amas de casa perfectas, destacadas anfitrionas y estar al pendiente de nuestros padres; hacer ejercicio, tener un cuerpo escultural y ser atractivas; estar bien informadas y participar en la sociedad; y, además, descansar, superarnos y divertirnos en nuestro tiempo libre. ¿Cuál tiempo libre?

Los medios de comunicación constantemente difunden mensajes de mujeres perfectas que tienen una vida perfecta, lo cual es perfectamente falso. Lo que se espera de nosotras en esta generación es por completo diferente de lo que se esperaba de nuestras madres; sus vidas eran menos complicadas y tanto sus expectativas como las exigencias externas, podían alcanzarse. Hoy tenemos tantas funciones que realizar, que cumplir con cada una de ellas, en un nivel que nos satisfaga, implica la desatención de otras, que nos dejan la sensación de no estar logrando cabalmente nuestra misión. La búsqueda frenética por el reconocimiento externo indica que no nos reconocemos a nosotras mismas. No, no es casualidad es causalidad; nuestro continuo deseo de perfección es simplemente la manera más segura de obtener el reconocimiento externo, ante nuestra incapacidad para valorarnos positivamente. Queremos oír en el exterior lo que desearíamos decirnos a nosotras mismas.

Nos educan con mensajes que han llegado a considerarse ciertos únicamente porque forman parte de

la tradición. Estos mensajes se han convertido en "la verdad". La verdad, sí, pero, ¿la verdad de quién? Definitivamente, no la que nos conviene a las mujeres. Sin embargo, hemos hecho nuestra esta "verdad", porque de tanto escucharla ya forma parte del programa de nuestro disco duro. Nunca se nos dice que nos olvidemos de nosotras, pero esto queda implícito cuando nos hacen creer que la aceptación, respeto y amor se nos otorgan como un premio por lo que hacemos por los demás.

Nos asignamos el papel que pensamos que se espera de nosotras y actuamos conforme a las expectativas de los demás. Desde nuestra toma de conciencia, vivimos custodiándonos y supervisando nuestra conducta, deseos, pensamientos y sentimientos, pues nos aterra no cumplir con los demás y que no nos quieran. Suponemos que si hacemos lo que los otros esperan de nosotras, y además lo hacemos con un alto grado de perfección, todos nos van a aceptar y a amar. Así, les conferimos a otros el poder de definir el sentido de nuestra vida y, junto con ello, el máximo poder sobre nosotras; un poder externo que se ejerce desde el interior, como si se hubiera creado dentro de nosotras mismas. Vivimos para el hacer y complacer, y en esto olvidamos el ser... ser para nosotras mismas, complacernos y hacer nuestro el derecho de tener y expresar nuestra propia identidad, aunque no sea perfecta.

Colette Dowling, en su libro *Mujeres Perfectas,* explica que:

> El ser perfecta es la principal exigencia externa e interna de las mujeres. A pesar de un impresionante despliegue superficial de eficacia, muchas mujeres actualmente siguen padeciendo debilitantes sentimientos de incapacidad. La angustia que los origina suele provocar conductas adictivas, preocupación obsesiva por el cuerpo y la imagen física, afán casi insaciable de comprar cosas, coleccionar objetos o comer. ¿Será posible que bajo la apariencia externa de búsqueda de la perfección, la mayoría de las mujeres siga luchando hoy con sentimientos básicos de inferioridad e incapacidad?

El mensaje social y educativo queda muy claro. Nuestra misión en la vida es facilitarle la vida a nuestros seres queridos y a los que se han convertido en no tan queridos, aunque compliquemos la nuestra. Pero no es suficiente con hacerlo bien, debemos cumplir nuestra misión a la perfección, cualquier falla o incumplimiento nos hace sentir vergüenza y culpa. Creemos que seremos despreciadas cuando en realidad ese desprecio nos lo damos nosotras; ningún desprecio es más terrible que el que una mujer siente por sí misma. La búsqueda de la perfección simboliza el faro que guía nuestra nave, y así es como tarde o temprano ingresamos al *"Club de la vela perfecta".* Éste, como todo club exclusivo, señala requisitos de ingreso y características particulares que las socias deben cumplir. El nivel de desempeño perfecto en todo lo que se hace es la divisa para ser aceptada.

La exageración de la respuesta a las demandas de los demás busca no sólo satisfacerlas, sino hacerlo con límites elevados de perfección. El deseo de reconocimiento, aunque no sea expresado, es una de las aspiraciones que motiva la búsqueda de la perfección de la mujer, reconocimiento que pocas veces se le otorga. Pareciera que está en un concurso contra

ella misma y que los resultados siempre son negativos porque nunca queda satisfecha. Incluso cuando su ejecución haya sido buena, ella siempre se critica y piensa que lo pudo haber hecho mejor. Esto equivale a tener su propia "Santa Inquisición", en la que siempre va a resultar culpable antes de ser juzgada.

Es importante mencionar que cuando nos olvidamos de nuestra individualidad entramos en un círculo vicioso. Nos sentimos mal como una indicación de que algo no está bien en nuestro entorno y, en lugar de identificar la causa de ese malestar, pensamos que algo efectivamente está mal, pero en nosotras, y deseamos mejorar nuestro desempeño. Buscamos la perfección con un esmero aún más perfecto. Nos exigimos más, lo cual trae un alivio temporal, pero el malestar sigue tratando de expresarse y nosotras seguimos intentando ser mejores, hasta que no podemos más y explotamos o nos enfermamos.

Muchas veces hemos escuchado decir que: "Cuando el alumno está listo aparece el maestro", y esto es una gran verdad. A veces, es necesaria una experiencia que nos sea significativa para hacer un alto en el camino e iniciar un cambio al reflexionar sobre nuestra vida; escuchar y hacer nuestras las enseñanzas de un maestro para, finalmente, oír a la "maestra intuición" que está dentro de cada una de nosotras. Para recuperar nuestra individualidad y considerarnos la persona más importante de nuestra vida, hay una idea que nos ayuda a lograrlo, ser conscientes de que: "Si yo estoy bien, aquellos que me importan también estarán bien. Si yo no estoy bien, nada en mi entorno puede estar bien."

Al pasar a los 50 años, nos percatamos de que hemos aceptado como ley un acuerdo unilateral, porque nosotras amamos incondicionalmente al "prójimo" que decidimos amar, en vez de a nosotras mismas, a veces ya no nos expresa su amor, el cual se desgastó o tal vez desapareció en algún lugar del camino; que a veces ni en cuenta nos toma, nos usa de ama de llaves, desprecia nuestro cuerpo y nuestros deseos sexuales. Con la trillada frase de que "El hombre saca juventud de su cartera", nos vemos minimizadas y engañadas, pues al pasar a los 50 algunos esposos cambian a su mujer por dos de 25, o por una de 30 y, además, los ilusos creen (y en ciertos casos están seguros) que los otros 20 años se les restan a su edad. También hay casos en los que definitivamente ya se fue de nuestra casa, aunque no de nuestra vida. El resultado es una rabia interna que ni siquiera podemos expresar, puesto que jamás olvidamos que las mujeres perfectas no se ponen furiosas nunca. Así vivimos, quejándonos de todo y de la forma como son todos con nosotras. Tristes, cotidianamente tristes. Casi podríamos fundar "la hermandad de las mujeres tristes" dentro del *Club de la vela perfecta*.

El modelo de perfección del *Club de la vela perfecta* exige que nuestras virtudes y habilidades sean utilizadas en provecho de otros, nunca para nosotras mismas, pues se incurría en el "egoísmo", uno de los motivos más graves de expulsión. Este principio de abnegación tiene como su máxima expresión excluirnos de nuestra propia bondad; ser abnegada significa ser buena con todos menos con nosotras. Después de los 50 años, muchas mujeres se percatan de que son unas extrañas para sí mismas, que no conocen sus propios deseos, que no tienen proyectos y que su vida carece de sentido. Reconocen que han vivido una vida que les ha sido impuesta, que se identificaron con lo impuesto por otros y por la cultura como si fuera propio y que, cuando estas enseñanzas llegaron a ser parte de ellas mismas, surgió un gran temor al cambio. Porque uno de los principios básicos del *Club de la vela perfecta* es el no cambio, es decir, la permanencia del *statu quo*, la perfecta perfección de lo establecido, en donde todo cambio o la pequeña variación se ve como una amenaza. Se teme lo nuevo, lo diferente y, sobre todo, lo que no es perfecto. Quien desea cambiar corre el riesgo de ser expulsada y el castigo no sólo consiste en la expulsión, implica vivir un profundo sentimiento de culpa por no ser perfecta, y ninguna mujer imperfecta puede pertenecer al *Club de la vela perfecta*. El miedo a ser auténtica es, además del miedo a ser expulsada, uno de los temores recurrentes, ya que al aprender a ser para otros, dejamos de ser para nosotras mismas y perdemos la autenticidad. Dejamos de ser YO para fundirnos en un NOSOTROS. La fusión siempre crea confusión, y así, confundidas, hemos cambiado lo que somos por lo que hacemos… y dejamos de ser.

Los poetas son voceros de la vida y describen estos sentimientos de una hermosa manera. "Instantes", de Jorge Luis Borges, nos dice que es un error vivir tratando de ser perfecto, porque olvidamos que la vida está hecha de momentos y tiene como finalidad el ser felices.

Instantes

Si pudiera vivir nuevamente mi vida
en la próxima trataría de cometer más errores.
No intentaría ser tan perfecto, me relajaría más.
Sería más tonto de lo que he sido, de hecho,
tomaría muy pocas cosas con seriedad.
Sería menos higiénico.
Correría más riesgos, haría más viajes,
contemplaría más atardeceres, subiría más montañas,
nadaría en más ríos.
Iría a más lugares a donde nunca he ido, comería más helados
y menos habas, tendría más problemas
reales y menos imaginarios.
Yo fui una de esas personas que vivió sensata y prolíficamente
cada minuto de su vida; claro que tuve momentos de alegría.
Pero si pudiera volver atrás trataría de tener
solamente buenos momentos.
Por si no lo saben, de eso está hecha la vida, sólo de momentos;
no te pierdas el ahora.
Yo era uno de esos que nunca iban a ninguna parte
sin su termómetro, una bolsa de agua caliente,
un paraguas y un paracaídas.
Si pudiera volver a vivir, viajaría más liviano.
Si pudiera volver a vivir comenzaría a andar descalzo
a principios de la primavera y seguiría así hasta concluir el otoño.
Daría más vueltas en calesita, contemplaría más amaneceres
y jugaría con más niños, si tuviera otra vez la vida por delante.
Pero ya ven, tengo 85 años y sé que me estoy muriendo.

JORGE LUIS BORGES

RESUMEN

* La vida para muchas mujeres es como un péndulo, oscilan entre la conciencia del aprendizaje de su imperfección y la búsqueda de la perfección.
* Cuando la mujer cumple 50 años e inicia una nueva etapa de crecimiento y desarrollo personal, se vuelve consciente del esfuerzo tan grande que hace por mostrar, y a veces por demostrar, sus habilidades.
* La actividad frenética es una forma de querer recuperar el tiempo que consideran perdido, de mostrar su juvenil energía, sus habilidades y la claridad de sus metas. Desafortunadamente, sólo logran agotarse.
* A veces necesitamos tomar un respiro e iniciar unas vacaciones de actividades que únicamente nos llevan al agotamiento, nos impiden pensar en nosotras mismas y retomar nuestro desarrollo interior.
* Los medios de comunicación constantemente difunden mensajes de mujeres perfectas que tienen una vida perfecta, lo cual es simplemente falso.
* Nuestro continuo deseo de perfección es simplemente la manera más segura de obtener el reconocimiento externo, ante nuestra incapacidad para valorarnos positivamente.
* Suponemos que si hacemos lo que los otros esperan de nosotras, y además lo hacemos con un alto grado de perfección, todos nos van a aceptar y a amar.
* Vivimos para el hacer y complacer y en ello olvidamos el ser. Ser para nosotras mismas, complacernos y reconocer nuestro derecho de tener y expresar nuestra propia identidad, aunque no sea perfecta.
* La búsqueda de la perfección simboliza el faro que guía nuestra nave y así es como, tarde o temprano, ingresamos al "Club de la vela perfecta". El desempeño perfecto en todo lo que se hace es la divisa para ser aceptada.
* El deseo de reconocimiento, aun cuando no sea expresado, es una de las aspiraciones que motiva la búsqueda de la perfección de la mujer.
* El modelo de perfección del *Club de la vela perfecta* exige que nuestras virtudes y habilidades sean utilizadas en provecho de otros, nunca para nosotras mismas, pues se incurriría en el "egoísmo", uno de los motivos más graves de expulsión.
* La mayoría de las socias del *Club de la vela perfecta* son mujeres que viven infelices en el país de la tristeza, aunque no sean conscientes de ello.
* Vivimos quejándonos de todo y de la forma como son todos con nosotras. Tristes, cotidianamente tristes. Casi podríamos fundar "la hermandad de las mujeres tristes" dentro del *Club de la vela perfecta*.

- Dejamos de ser YO para fundirnos en un NOSOTROS. La fusión siempre crea confusión y así, confundidas, hemos cambiado lo que somos por lo que hacemos.
- ¿Cuáles son tus manías o pretextos de perfeccionismo?
- ¿En qué orden piensas superarlas?
- ¿Por qué crees que se dice que lo perfecto es enemigo de lo bueno.

6

Las simujeres

*Cuando renunciamos a ser una simujer
para convertirnos en una mujer
que se dice Sí a sí misma, ganamos
nuestro propio espacio y respeto.*

Son adorables pero pocos se dan cuenta de ello; siempre amables y amorosas, aunque generalmente no son correspondidas. Serviciales con todos, quienes casi nunca les agradecen nada. *Las simujeres* son una especie de hadas madrinas que dedican toda su energía y a veces su vida misma a otros, especialmente a su familia; son capaces de hacer cualquier cosa por los demás, pero hacen muy poco por ellas mismas. Heroínas anónimas que realizan actos heroicos cotidianamente; brindan a los suyos vida, amor, atención, cuidado, consuelo, respeto, escucha, consejos, servicio, compañía, afecto y cariño, mucho cariño… pero se excluyen de su propia bondad. Todos cuentan en su vida más que ellas, como una flor, regalan su belleza y aroma a quienes las rodean, sin ser conscientes de sus propias virtudes. Son *simujeres,* pues su respuesta a las peticiones, solicitudes y órdenes de su entorno generalmente es ¡SÍ!, porque les es muy difícil, casi imposible, decir ¡NO! A veces parece que las escuchamos decir: "Mi respuesta es Sí… ¿Qué es lo que quieres.?"

Para las *simujeres,* la palabra más difícil de expresar es No, algunas ni siquiera la incluyen en su vocabulario, aunque, cuando se la dicen a ellas, la aceptan sin reclamo alguno, como si fuera un derecho que les ha sido expropiado. La dificultad de decir "No" sin sentirse incómoda, molesta o culpable es uno de los principales problemas de las *simujeres,* que generalmente dicen que sí a todo y a todos. De esta singular característica surgió este término que he inventado.

Las normas que rigen la vida de las *simujeres* son muy simples, y se basan en la continua demostración de su bondad y en complacer a los demás. Mañana, tarde y noche, todos los días de su vida, su principal objetivo es ser una "buena mujer" o una buena esposa, hija, hermana, amiga, compañera, amante o lo que sea, pero siempre "buena". Y no es que tenga objeción alguna contra la bondad de la mujer, lo que me niego a aceptar, por injusto, es que ésta se mida sólo en función de los actos calificados como buenos hacia los demás, y las cosas buenas que la mujer hace para sí misma sean identificadas como "egoísmo". Y, además, que este egoísmo sea el máximo pecado en una escala de valores que la *simujer* asume sin pensar nunca en sí misma. Ella que es la primera en servir, atender y amar, se coloca en el último lugar de sus servicios, atenciones y amor. Las *simujeres* son una fuente que brinda su cristalino líquido a todos hasta quedarse seca, cuando es ella la que requiere apagar su sed. Su máxima virtud para quienes reciben sus servicios, se convierten en su máximo pecado contra sí misma.

Una *simujer,* más que nada en el mundo, desea complacer a los demás y ser "Una buena mujer"..., pero, ¿te has puesto a pensar qué implica ser "una buena mujer"? La premisa básica de una buena mujer es: "No importa de qué situación o circunstancia se trate, los otros cuentan más que yo. Sus deseos y necesidades siempre son más importantes que los míos. ¿Quién soy yo para esperar que mis deseos y necesidades sean satisfechos? Yo debo ser una satisfactora, aunque siempre esté insatisfecha."

Una *simujer* les dice **sí** a todos menos a sí misma y tiene cualidades muy útiles para la sociedad: es obediente, trabajadora, servicial, creativa, atenta, cariñosa, optimista, desprendida y, frecuentemente, abnegada e insatisfecha; y de tanto dar y dar a otros se olvida de darse a sí misma. La *simujer* siempre está carente e inconforme, aunque pocas veces se dé cuenta de ello; generalmente, piensa que así es la vida y se adapta a sus circunstancias, que muchas veces ella misma ha creado. En ocasiones, se siente culpable de darse algo o tan sólo de pensar en sus necesidades insatisfechas. O, lo que es más dramático, cuando finalmente decide darse algo se ha quedado sin nada y se ve privada de sus propias virtudes.

Por lo común cuando la *simujer* tiene más de 50 años, experimenta esta falta dramáticamente y, gracias a su creatividad, la convierte en algo positivo. Enfrenta una nueva carencia porque ya no tiene a quién decirle sí todo el tiempo, ni a quién satisfacer y dar gusto, cuidar y atender. Los hijos crecieron y, generalmente ya no viven en el hogar; la relación afectiva con el marido, en el peor de los casos, se ha roto o deteriorado, y en el mejor de ellos, se ha transformado en una agradable costumbre. Por eso, a menudo deposita todos sus "sís", sus energías y afecto en gente fuera de su familia, como servicio y ayuda social, debido a que tiene que dar su creatividad, tiempo y amor a alguien o a algo fuera de ella, pues no ha aprendido a dárselos a sí misma.

Algunas veces, en esta edad dorada, es cuando la *simujer* se da cuenta de que su vida la vivió para otros, que construyó poco para sí misma y que tiene escasos intereses, metas y vida propia, que ha vivido de prestado y ha regalado su tiempo, capacidades y amor a otros, y que cada vez que deseó algo para sí se sintió como una impostora, como una mujer mala y egoísta que buscaba su propia satisfacción, como si por ello fuera a privar a sus seres queridos de las suyas. Su vida, casi siempre, sigue igual, porque evita reflexionar sobre su realidad, ya que siempre es doloroso encontrar tantas carencias y tan pocas satisfacciones.

¿Cuándo firmamos el contrato donde se especifica que ser buenas con nosotras es ser malas con los demás?; ¿cuándo se nos dijo que ser ajenas a nuestra vida y vivir exclusivamente para los otros es vivir?; ¿por qué hemos renunciado a ser nosotras mismas? Y lo que es más importante: ¿Cómo podemos dejar de ser *Simujeres* para ser simplemente Mujeres? Mujeres que se dicen ¡Sí! a sí mismas y que están satisfechas consigo mismas y con su vida.

Desde niñas, nos enseñan que el verbo amar sólo se aplica y practica fuera de nosotras, y que únicamente podemos recibir amor cuando nos lo hayamos ganado, al actuar complacientes y siendo como esperan aquellos a los que amamos. El amor no se nos da por lo que somos, sino por lo que hacemos… y esto cuenta también por lo que no somos y lo que no hacemos. Nosotras, en cambio, debemos amar a otros por lo que son, sin importar lo que hagan o dejen de hacer. Este juego amoroso tiene dobles reglas que son diferentes para cada participante y no es justo, pues, en esta doble moral, a las mujeres siempre nos toca la parte con menos ventajas.

Muchas *simujeres* viven su vida con los ojos medio cerrados para no ver aquello que no les gusta, negando los conflictos y problemas, es decir, actúan "como si todo estuviera bien". Pretenden ignorar la problemática, aunque en el fondo saben que hay cosas que no están bien y que los problemas sin resolver se les multiplican. A veces, sinceramente creen que si ignoran los problemas estos se van a resolver por sí mismos y que todo estará bien. Dicha forma de negación representa el triunfo del optimismo sobre la realidad y no siempre tiene un final feliz. Cuando no enfrentamos un problema, automáticamente se multiplica y tenemos tres:

1. El problema en sí.
2. El problema de no aceptarlo.
3. El problema de no buscar solución al problema.

El problema en sí. Cuando no enfrentamos un problema generalmente éste se dificulta y origina nuevos problemas que cada vez se vuelven más complicados. Es como si una parte de nuestra mente, de la que no somos conscientes totalmente, siguiera pensando en el problema y actuáramos en una especie de "piloto automático", que nos hace cometer errores y en ocasiones, crear nuevos problemas.

El problema de no aceptarlo. Aun cuando tratemos de ignorar el problema, una persona que evade resolver los problemas invierte mucha energía, buscando excusas y justificaciones para no actuar; también se preocupa por las consecuencias que el problema pueda traer y se ocupa de no acordarse de todo esto, con lo que pierde concentración y atención en otras actividades.

El problema de no buscar solución al problema. Actuar "como si todo estuviera bien" no es una estrategia adecuada para resolver un problema y constituye en sí otro problema. Esto, a su vez, genera más problemas, porque empleamos nuestra energía en "olvidarnos" del problema y empezamos a cometer muchos errores y a olvidar algunas cosas. Si en la Biblia se habla de la multiplicación de los peces, esto es como la multiplicación de los problemas.

Hacía dos semanas que Marina estaba buscando un documento muy importante de su trabajo. Queriendo olvidar el asunto, se fue a desayunar con sus amigas y al salir pensó que le habían robado su coche, pues olvidó que traía el de su marido. Fue hasta que Carlos, su esposo, pasó a recogerla en su coche, para ir a levantar el acta, que se dio cuenta de su error. Afortunadamente todo quedó en un susto y en una confusión, pero si hubiera levantado el acta, ya estaríamos hablando de "falsedad de declaraciones ante una autoridad". Carlos le preguntó por qué estaba tan distraída y tensa, y en ese momento Marina le confesó que tenía extraviada la renovación de su contrato y que se la estaban solicitando en el trabajo. Muy molesto por la falta de comunicación de su esposa, Carlos le dijo que ese documento se lo había dado a guardar a él hacía seis meses.

Cuando dejas de ser una *simujer,* recuperas tu centro y reconoces lo que sabes, aceptas lo que sientes y puedes expresar lo que deseas y necesitas. Sabes que enfrentar los problemas no implica buscar culpables, sino encontrar las causas que los originan, sin hacer renuncias heroicas y sin asumir culpas inmerecidas. Desaprendes el concepto que muchas madres nos inculcaron: se debe hacer cualquier cosa para "llevar la fiesta en paz"; con ello, renunciamos a nuestros derechos, y poco a poco vamos perdiendo confianza en nosotras mismas y disminuye el respeto y consideración que nos merecemos de parte de los demás.

Cuando renunciamos a ser una *simujer,* para convertirnos en una mujer que se dice **Sí** a sí misma, ganamos nuestro propio espacio y respeto. Dejamos atrás la búsqueda continua de la aprobación de otros y no consideramos el parecer ajeno como el único valor positivo; incrementamos nuestra autoestima, aprendemos a apreciar los juicios de nuestra conciencia y reconocemos nuestras capacidades. Como consecuencia de esto, recuperamos la seguridad en nosotras mismas, esa seguridad que habíamos perdido en algún lugar de nuestro camino. Cambiamos el "**no** puedo" por el "**yo** puedo" y, al cambiar una sola letra, se modifica todo nuestro panorama. Finalmente, nos colocamos en el centro de nuestra vida para asumir las riendas de nuestro destino.

LOS 50 AÑOS SON UNA ÉPOCA DE CAMBIOS

Al cumplir 50 años muchas mujeres viven esta etapa como un parteaguas en sus vidas; inician diversos cambios psicológicos positivos que modificarán sus existencias. Se hacen conscientes de que pueden elegir entre quedarse como han estado durante décadas o cambiar y empezar a vivir su vida a lo largo y a lo ancho, para realizar sus proyectos y cumplir la meta de ser felices; y así, de esta manera, encontrar el objetivo fundamental de la vida. Saben que haber pasado de los 50 años es su última oportunidad de autoafirmarse. Aceptan su edad y no se avergüenzan de ella, pues saben que nunca volverán a ser tan jóvenes como el día de hoy. Además, revisan y redefinen su proyecto de vida.

Las mujeres empiezan a tomar las decisiones que les convienen, sin considerar si son convenientes para todos, y tienen como principal objetivo recuperar su identidad y su vida. Saben que en esta edad tienen la última oportunidad de tomar las riendas de su vida, si no lo hacen ahora, ¿cuándo? **No** pretendo promover una "revolución de la menopausia", lo que quiero es decirle a las mujeres que a esta edad ya cumplimos con el matrimonio y con los hijos, y es el momento de cumplir con nosotras mismas. Es la hora de cambiar para nuestro beneficio.

El eje fundamental del cambio personal puede expresarse con la siguiente afirmación: *"Si quieres resultados diferentes, tienes que hacer cosas diferentes. Porque si sigues haciendo lo mismo, obtendrás idénticos resultados."* Esto nos habla del principio de causalidad, toda causa produce un efecto y todo efecto se origina en una causa. El primer cambio consiste en desechar el "principio de casualidad". No podemos atribuir las consecuencias a la *casualidad*, sino a la *causalidad*. Las causas que producen efectos no deseados solamente pueden modificarse a través de cambios estratégicos, es decir, cambios razonados y planeados (véase capítulo 9).

Hacer cambios no es fácil, el solo hecho de planteárselos genera temor de perder lo conocido y provoca miedo. Sin embargo, para mejorar la calidad de vida debemos cambiar nuestra conducta y, necesariamente, correr los riesgos que esto implica. Una de las mayores ventajas de ser adulto es, precisamente, saber que el cambio es una herramienta a nuestra disposición para mejorar las cosas. A estos temores internos, con relación al cambio, tenemos que agregar los temores a las críticas externas que nuestros cambios originan. Toda mujer decidida a iniciar transformaciones en la manera de vivir su vida debe esperar y superar reacciones de crítica y de protesta de su entorno como algo natural. En otras ocasiones, tendrá que hacer caso omiso al chantaje emocional que, con mucho cariño, se ejerce presionándola para que dé marcha atrás en sus cambios. El secreto de los cambios en la menopausia consiste en analizar, planear, decidir y actuar para sentirse satisfecha de lo que se está haciendo, y dar por terminada nuestra antigua forma de ser para iniciar una nueva etapa.

Como resultado previo al cambio, debe existir un convencimiento absoluto de la necesidad de cambiar y de los beneficios que éste traerá a nuestra vida. A veces, la costumbre es más fuerte que el deseo de cambiar, y nuestros sentimientos y temores colaboran para erradicar los incipientes cambios. Esto se ejemplifica en el siguiente relato:

Sofía, madre de tres hijos, se sintió liberada cuando el último de ellos se fue a vivir a su departamento. Tenía planes para reiniciar sus clases de pintura y aprender el suficiente francés para tomar un curso de verano de acuarela en Francia. No obstante, resultó que sus dos hijos solteros descubrieron que la casa de mamá era el mejor restaurante de la ciudad, y además gratuito. Y se inició la costumbre de que tres o cuatro días a la semana comían con ella, llevando de vez en cuando invitados. Sofía se sentía encantada, porque pensaba que esto se debía a lo bien que cocinaba y a lo mucho que la querían y la extrañaban. Las ausencias de sus clases cada vez se hacían más frecuentes y sus proyectos perdían prioridad. Un día le hizo a uno de ellos el comentario de que traía muy arrugada la camisa, y él le dijo que las había lavado estrenando su lavadora, pero que de plano no se le daba el planchado. Enseguida le preguntó si se le notaba mucho porque esa tarde tenía una cita con un cliente importante. Ella prácticamente le arrebató la camisa y se la fue a planchar, estableciéndose la costumbre de que los hijos solteros le llevaran cada semana sus camisas a planchar.

Cuando Sofía comentó esto en su grupo de terapia, se le hizo ver que no quedaba claro si lo decía para que la admiráramos y la felicitáramos por ser una "buena madre con sus hijos y una mala persona consigo misma", o si estaba implícita una queja. Ella dijo que a veces le molestaba ese trabajo, del que creía ya se había jubilado, y que con frecuencia se encontraba muy cansada para asistir a sus clases. La respuesta fue: "Tú lo pediste, tú solicitaste nuevamente el trabajo. ¡No te quejes! ¡Actúa! Date cuenta que tú lo propiciaste, tú promoviste y aceptaste otra vez el trabajo, renunciando a tus propuestas de cambio y a tus proyectos."

A esto siguió el comentario de que la forma en la que les podemos mostrar a nuestros seres queridos que estamos cambiando y dejando de ser una *simujer* es muy importante, y que ese momento se debió aprovechar para enseñarle a su hijo a planchar las camisas, lo que es muy diferente, aunque más difícil, que simplemente plancharlas. Enseñar es una manera de capacitar a otro y de trasmitir nuestra experiencia, pero también implica la renuncia a sentir que somos necesitadas.

Si Sofía le hubiera dicho a su hijo: "Sí, la camisa se te ve muy arrugada, te voy a enseñar a plancharlas; para que te resulte más fácil, te aconsejo dos cosas: nunca pongas las camisas en el bote de la ropa sucia, porque ahí se arrugan mucho, déjalas colgadas antes de lavarlas y cuando las laves sácalas inmediatamente que termine la lavadora, porque también ahí se arrugan, así te va a ser más fácil plancharlas." Sofía hubiera dejado implícito el mensaje: "Hijo, tú ya no vives aquí, y si eres tan maduro para ser independiente y mantenerte, creo que también puedes aprender a planchar tus camisas, yo tengo nuevas ocupaciones y no estoy dispuesta a seguir planchando tus camisas, pero te puedo trasmitir mi experiencia."

Uno de los principios de la comunicación dice que la forma y el momento como se dicen las cosas es tan importante como el mensaje mismo. En este ejemplo, observamos la mayor trampa que las simujeres se ponen: la dificultad (¿o debería decir la imposibilidad?) para decir "**no**".

No es fácil renunciar a ser una *simujer*, se requiere decisión y constancia, además de cuidado, para evitar las recaídas; pero sí es posible y resulta muy, pero muy satisfactorio. La mujer que renuncia a ser una simujer complaciente para todos menos para ella, adquiere una fuerza que no ha experimentado nunca antes. Es la fuerza de ser ella misma porque:

1. Se considera la persona más importante de su vida.
2. Aprende a decir no cuando así lo desea o cuando es necesario, sin sentirse culpable.
3. Valora y satisface sus deseos y necesidades.
4. Aprende a ser consciente y a expresar sus emociones negativas, especialmente enojo, miedo e ira.
5. Puede ser asertiva y expresa sus deseos y desacuerdos.
6. Está dispuesta a dar a los demás, pero también espera recibir de ellos.
7. Sabe que ella no es responsable de la felicidad de los otros.
8. Deja de ser "gerente general" de su entorno y se responsabiliza sólo de lo que le corresponde.
9. Incrementa su autoestima.
10. Desarrolla y reconoce sus capacidades.

Lo antes expuesto no quiere decir que si decides renunciar a ser una simujer, debas tener el **no** en la punta de la lengua, para usarlo con todo mundo y en todo momento, como si fueras de un partido político de oposición. Se trata de decir Sí o No, según estemos de acuerdo o en desacuerdo con lo que se nos proponga, tomando en cuenta nuestros intereses, necesidades, prioridades y deseos. Sin supeditar lo nuestro a la conveniencia de las personas que nos importan, aprendiendo a conciliar y a negociar. Recordar que la sumisión no provoca ni respeto ni afecto, al contrario, siempre desencadena abuso y agresión. La forma más efectiva para aprender a decir "Sí o No", según nos convenga o queramos, es aprendiendo a ser asertivas (véase el capítulo 8).

RESUMEN

- Las *simujeres* son una especie de hadas madrinas que dedican toda su energía y a veces su vida misma a otros, especialmente a su familia. Son capaces de hacer cualquier cosa por los demás, pero hacen muy poco por ellas mismas.
- Son *simujeres*, pues su respuesta a las peticiones, solicitudes y órdenes de su entorno por lo general es ¡Sí!, porque les es muy difícil, casi imposible, decir ¡NO! A veces parece que las escuchamos decir: "Mi respuesta es SÍ…, ¿qué es lo que quieres?"
- Una *simujer* dice SÍ a todos, menos a sí misma, y tiene cualidades muy útiles para la sociedad: es obediente, trabajadora, servicial, creativa, atenta, cariñosa, optimista, desprendida y, frecuentemente, abnegada; pero de tanto dar y dar a otros, se olvida de darse a sí misma y siempre tiene carencias.
- La dificultad de decir "No", sin sentirse incómoda, molesta o culpable, es uno de los principales problemas de las *simujeres*, que generalmente dicen que sí a todo y a todos.
- En ocasiones, se siente culpable de darse algo o por pensar en sus necesidades insatisfechas. O, lo que es más dramático, cuando finalmente decide darse algo, se ha quedado sin nada y se ve privada de sus propias virtudes.
- Al llegar a la menopausia es cuando la *simujer* se da cuenta de que su vida la vivió para otros, que construyó poco para sí misma y que tiene escasos intereses, metas y vida propia.
- ¿Cómo podemos dejar de ser *simujeres*, para ser simplemente mujeres? Mujeres que se dicen ¡Sí! a sí mismas y que están satisfechas consigo mismas y con su vida.
- Desde niñas, nos enseñan que el verbo amar sólo se aplica y practica fuera de nosotras. El amor no se nos da por lo que somos, sino por lo que hacemos, y esto cuenta también por lo que no somos y lo que no hacemos.

- Cuando renunciamos a ser una *simujer* para convertirnos en una mujer que se dice sí a sí misma, ganamos nuestro propio espacio y respeto. Dejamos atrás la búsqueda continua de la aprobación de otros y no consideramos el juicio ajeno como el único valor positivo.
- Como consecuencia de esto, recuperamos la seguridad en nosotras mismas; esa seguridad que habíamos perdido en algún lugar de nuestro camino.
- Cambiamos el "NO puedo" por el "YO puedo" y, al cambiar una sola letra, se modifica todo nuestro panorama. Finalmente, nos colocamos en el centro de nuestra vida para asumir las riendas de nuestro destino.
- Al cumplir 50 años muchas mujeres toman esta etapa de cambios físicos como un parteaguas e inician cambios psicológicos positivos que modificarán su vida.
- Se hacen conscientes de que pueden elegir entre quedarse, como han estado durante décadas, o cambiar y empezar a vivir su vida a lo largo y a lo ancho, para realizar sus proyectos y cumplir su meta de ser felices.
- Aceptan su edad y no se avergüenzan de ella, pues saben que nunca volverán a ser tan jóvenes como el día de hoy.
- Revisan y redefinen su proyecto de vida. Empiezan a tomar las decisiones que les convienen, sin considerar si son convenientes para todos, y tienen como principal objetivo recuperar su identidad y su vida.
- El eje fundamental del cambio personal puede expresarse con la siguiente afirmación: "Si quieres resultados diferentes, tienes que hacer cosas diferentes. Porque si sigues haciendo lo mismo obtendrás idénticos resultados."
- Toda mujer decidida a iniciar cambios en la manera de vivir su vida debe esperar y superar reacciones de crítica y de protesta de su entorno como algo natural. En otras ocasiones, tendrá que hacer caso omiso al chantaje emocional que, con mucho cariño, ejercen los suyos, presionándola para que dé marcha atrás en sus cambios.
- El secreto de los cambios en la menopausia consiste en analizar, planear, decidir y actuar, para sentirse satisfecha de lo que se está haciendo y dar por terminada nuestra antigua forma de ser e iniciar una nueva etapa.
- A veces, la costumbre es más fuerte que el deseo de cambiar, y nuestros sentimientos y temores colaboran para erradicar los incipientes cambios.
- Muchas *simujeres* viven su vida con los ojos medio cerrados para no ver aquello que no les gusta, negando los conflictos y problemas, es decir, actúan "como si todo estuviera bien", aunque en el fondo saben que hay cosas que no lo están y que los problemas sin resolver se les acumulan.

- Cuando dejas de ser una *simujer*, recuperas tu centro y reconoces lo que sabes, aceptas lo que sientes, puedes expresar lo que deseas y lo que necesitas. Aceptas que enfrentar los problemas no implica buscar culpables, sino encontrar las causas que los originan, sin hacer renuncias heroicas y sin asumir culpas inmerecidas.
- La mujer que renuncia a ser una *simujer* complaciente para todos menos para ella adquiere una fuerza que no ha experimentado nunca y toma el control de su vida.
- Menciona 3 ejemplos de conducta que identifican a una *simujer*.

    1. _____

    2. _____

    3. _____

    - Si estos ejemplos son conductas tuyas, ¿cómo las vas a cambiar?
    - ¿En qué situaciones te es difícil decir "No"?
    - ¿Por qué te es difícil decir "No"?

CAPÍTULO 7

¿Por qué si soy tan buena, me siento tan mal?

La manera como nos tratamos a nosotras mismas indica a los demás nuestro valor y la forma como esperamos ser tratadas.

VOLVERSE INVISIBLE

Uno de los sentimientos más desagradables de la menopausia es la sensación de volverse invisible. ¡Nos dejan de tomar en cuenta para tantas cosas! Lo más dramático de la situación es que nosotras lo hemos ido permitiendo, poco a poco, paso a paso. Es como si nuestra imagen se fuera borrando de una fotografía, en donde están todos los que amamos, y terminamos siendo una espectadora amorosa que se encuentra fuera de cuadro. Nos hacemos invisibles, porque hemos abandonado el centro de nuestra vida para girar en torno al centro de la vida de los que amamos. Algunas mujeres lo aceptan como algo natural y, prácticamente, desaparecen, dejan de ser percibidas por otros así como han dejado de percibirse a sí mismas.

Lo nuestro hace mucho dejó de ser importante y prioritario; posponemos lo que nos gusta hacer, para un mañana que, por lo general, nunca llega. Rara vez nos apropiamos de un lugar que sea nuestro, exclusivamente, para hacer lo que nos gusta. Si tenemos una afición, sentimos que al realizarla le estamos "robando" tiempo a nuestros hijos y a lo que tenemos que hacer por ellos. Nos sentimos ajenas a nuestros propios intereses y terminamos siendo no sólo como un libro abierto, sino como un libro que nadie quiere abrir y leer porque no va a encontrar nada interesante en él. El resultado de todo esto es una sensación difusa de molestia, que no podemos describir ni explicar, pero que está dentro de nosotras; para olvidarla, nos enfocamos en actividades interminables que seguirán facilitándoles la vida a los demás y, del mismo modo, aumentarán las voces internas de protesta que nos negamos a escuchar.

Algunas mujeres no se conforman y luchan de manera negativa contra este sentimiento, y se hacen intencional y voluntariamente cáusticas. Cuando piensan que no pueden provocar sentimientos positivos en otros, se conforman con provocar reacciones negativas; creen que siendo desagradables la gente va a notar su presencia. Utilizan su lengua como arma defensiva contra la invisibilidad y dicen cosas que lastiman sin razón a personas inocentes que están dentro o fuera de su círculo de afectos importantes. De cualquier forma, se hacen invisibles, porque nadie las quiere ver y, cuando están ahí, la gente voltea en otra dirección. Todas hemos presenciado o tal vez hemos sido objeto de estas agresiones disfrazadas de franqueza. Cuando alguien nos dice algo como: "Pero qué te pasa, te ves fatal, ¿estás enferma?", merece una respuesta tan poco amable como su intervención.

ASUMIR EL PAPEL DE VÍCTIMA

Una de las mejores pruebas de que hemos alcanzado la madurez es aceptar que el mundo no es un lugar ideal en donde impera la justicia. Asumir el papel de víctima implica no entender este concepto y pensar que la injusticia existe básicamente para perjudicarnos. La persona madura supera la adversidad, olvidándola y dejándola atrás; la víctima colecciona las ocasiones en que ha sido tratada con injusticia como pruebas de su falta de fortuna. La mujer que se siente víctima, experimenta el mundo como un lugar inseguro, en donde sólo hay injusticia y en donde nunca se siente justamente tratada. La inconformidad con la propia vida hace que muchas mujeres se sientan víctimas de las circunstancias, sin darse cuenta de que la mayoría de éstas son el resultado de lo que hicieron o dejaron de hacer.

La víctima no asume la responsabilidad de lo que le sucede, hace de "su mala suerte" un patrimonio que le sirve para justificar su no hacer nada para mejorar la situación. El desánimo y la derrota anticipada guían su conducta e invitan a otros a abusar de ella. La victimización tiene como principal motivación provocar algún sentimiento en otros, aunque sea el de lástima, pues se piensa que no se puede aspirar al afecto o al amor. Pero asumir el papel de víctima, también tiene su lado oscuro, que es el deseo de provocar sentimiento de culpa en otros y manipularlos. Esta es la razón por la que algunas personas que asumen el papel de víctimas –cosa muy diferente de ser víctimas– no aceptan ayuda cuando se les ofrece. Se han acostumbrado a los beneficios secundarios que reciben viviéndose como víctimas.

LA ABNEGACIÓN

La educación y el ejemplo que las mujeres hemos recibido exigen que nuestras virtudes y habilidades no sean utilizadas para nosotras mismas, sino en provecho de otros, especialmente de los que amamos. Esta es una trampa emocional que, a través de nuestros afectos, hace que nos excluyamos de nuestra bondad. Emplear en nuestro beneficio nuestras habilidades y virtudes se conoce como "egoísmo" y es uno de los motivos más graves de crítica y rechazo. El principio de abnegación tiene como su máxima expresión excluirnos de nuestra propia bondad. Ser abnegada significa ser buena con todos, menos con nosotras; la bondad debe empezar por nosotras mismas y después proyectarse sobre los demás. Yo desconfío de la bondad de quien no es buena, en primer lugar, consigo misma.

La palabra abnegación debería escribirse con un guión intermedio: ab-negación, y su definición sería: "La negación absurda de una misma, privarse consistentemente de los satisfactores necesarios"; pero, ¿qué negamos en la abnegación? La abnegación es la renuncia de ti misma, es ponerte en el último lugar de tu vida, dejando a un lado los propios derechos, necesidades, gustos y deseos. La motivación básica es mostrarse como una mujer buena y perfecta en la atención y servicio hacia los demás, principalmente con nuestros seres queridos y, muy especialmente, hacia la pareja e hijos; vivir en el altruismo al cien por ciento y nunca ser juzgada como egoísta. Ser abnegada es como aceptar no ser un Yo y "una misma", y volverse "una de otros", de ellos y para ellos. Por el contrario, el desarrollo personal en la madurez siempre nos enseña a "Ser yo para mí y para otros, en ese riguroso orden".

Si pudiéramos expresar matemáticamente la suma de las creencias sobre el amor abnegado de la mujer buena y perfecta, veríamos que la suma resulta una resta, donde ella siempre pierde. Sumemos el "Yo soy aceptada y amada si hago lo que se espera de mí" y "Debo ponerme en último lugar y renunciar a mis derechos, necesidades, gustos y deseos, como una forma virtuosa de manifestar mi amor y mostrar que soy una buena mujer", y nos da como resultado una mujer que vive abnegadamente (negación de sí misma), en la sumisión (pérdida de su capacidad de opinión y decisión) y en el abuso (sus deseos y necesidades, como nunca son expresadas, dejan de ser considerados), es decir, una mujer infeliz y triste. La mayoría de las mujeres abnegadas vive infeliz en el país de la tristeza, aunque no sean conscientes de ello.

¿Por qué esta suma, resta?, porque esperamos reconocimiento y amor a través de la abnegación y la sumisión, sin saber que esto siempre genera abuso y desprecio, y el sufrimiento es la consecuencia indeseada. ¡Cuánto sufrimiento en vano! La suma, resta, porque da como resultado toda una gama de sentimientos negativos. Es como si depositáramos todos nuestros esfuerzos en un saco que está perforado en el fondo, no importa cuánto guardemos en él, siempre se perderá una cantidad considerable si no tenemos el cuidado de repararlo. Actuamos como si presentáramos nuestra renuncia irrevocable, esperando que nos digan que nos necesitan y nos supliquen que no nos vayamos… y resulta que aceptan la renuncia, y ni las gracias nos dan. Entender que quien no se quiere y valora a sí misma no es querida y valorada por otros es un aprendizaje fundamental al llegar a la edad de oro. La manera como nos tratamos a nosotras mismas indica a los demás nuestro valor y la manera como esperamos ser tratadas.

En la abnegación, desobedecemos un mandamiento de la Ley de Dios, aquel que dice: *"Amarás a tu prójimo **como** a ti mismo."* Cabría preguntarse si lo desobedecemos porque no lo entendemos o no lo entendemos porque lo desobedecemos. El caso es que muchas mujeres interpretan el mandamiento como si dijera: *"Amarás a tu prójimo **en vez de** a ti misma"*, y esa parte de nuestro amor que nos corresponde a nosotras mismas, lo repartimos a otros.

Cuando tenemos más de 50 años, sabemos que hemos hecho mucho por muchos, tal vez demasiado, y una parte profunda de nuestro yo se revela y nos empezamos a preguntar: ¿Por qué, si soy tan buena, me siento tan mal?, ¿por qué siento que mi vida es imperfecta, si hago todo perfecto?, ¿por qué soy tan infeliz, si hago felices a todos? Estos cuestionamientos duelen y dan rabia, principalmente, porque nos sentimos defraudadas, ya que nos habían enseñado que estas virtudes eran la llave de la puerta de nuestro personal paraíso. Al correr de los años, pensamos: "No encuentro el paraíso, y si veo la puerta, no tengo la llave." Este dolor se ignora gracias a la abnegación; la rabia no se expresa y, a veces, ni siquiera se siente, pues se nos ha enseñado que no es femenino todo eso del enojo, la rabia, la furia y la agresión, y que estos sentimientos nos alejan de la perfección femenina. El resultado observado y aceptado es la impotencia y la tristeza. Hay muchas mujeres tristes, de más de 50 años, que se sienten impotentes, muchas más de las que desearíamos ver, tal vez demasiadas. Las mujeres debemos sentirnos merecedoras y agradecer a la vida llegar a esta edad con salud y alegría.

LA IMPOTENCIA APRENDIDA

La abnegación no es agradable, pero no renunciamos a ella, porque pensamos que no podemos hacerlo. Las mujeres creemos que no somos capaces de realizar tantas cosas. Iniciamos nuestro aprendizaje de impotencia en la infancia, cuando nos dicen: "tú no puedes... tú no sabes... las niñas no deben hacer eso...". La continua repetición de estas indicaciones provocan una introyección y, una vez interiorizadas, se convierten en voces enemigas que pensamos que nos protegen, cuando en realidad nos están conteniendo. Este aprendizaje continúa durante nuestra juventud, cuando ya tenemos instalado el programa en el disco duro, y cada vez que pensamos iniciar algo, surgen las voces enemigas que nos convencen de no hacerlo, porque: "seguramente vamos a fracasar, o el esfuerzo nos agotará sin ningún resultado positivo, o sufriremos otra derrota más, o nos vamos a sentir peor después de fracasar"; así que, simplemente, no lo intentamos. De nuevo nos sometemos a nuestras propias voces enemigas y renunciamos en función del *statu quo* para evadir el ridículo del fracaso. Con esto, las amenazadoras voces enemigas se hacen amigables, y terminamos aceptándolas cuando nos dicen: "Hiciste bien, así es mejor, así no vas a sufrir, esto es lo perfecto y bueno para ti." O el terrible: "Calladita te ves más bonita." Todo ello, a pesar de ir en contra de nuestros intereses personales y deseos.

En la edad dorada, surge otro elemento de impotencia aprendida, que nos lanzan como dardo envenenado nuestros seres queridos y los que se han convertido en no tan queridos, viene envuelto en forma de pregunta lapidaria: "¿A tu edad?" Cuando, después de comentar un proyecto que pensamos realizar, nos dicen: "¿A tu edad?", nos quedamos mudas e impotentes. Jamás nos habíamos sentido tan mudas, tan impotentes… y tan viejas. Generalmente, la edad se considera experiencia cuando se refiere a los hombres, en el caso de las mujeres, inadecuación; tal parece que sólo las mujeres caducamos al envejecer. Si a los 50 años aún no aceptamos sumisamente este dardo envenenado como verdad, nos quedan unos cuantos años para que terminen de convencernos —o lo hagamos nosotras mismas—, de que nuestra única opción es llegar a la edad suficiente para sacar nuestra tarjeta de descuento de la tercera edad y esperar la muerte sentadas en una mecedora frente al televisor. Como resultado de todo esto, en la vida diaria empezamos a amargarnos, se nos avinagra el carácter. ¡Cuidado!, porque es entonces, precisamente, cuando "damos el viejazo".

Al llegar a la menopausia, nos percatamos de que la edad es una actitud mental ante la vida y tiene poco que ver con el tiempo vivido. Por eso existen ancianos de 20 años y jóvenes de 60. Los filósofos chinos decían que: "No es que la gente vieja deje de reírse, lo que sucede es que se hace vieja porque deja de reírse." Cuando perdemos el entusiasmo por la vida, no sólo cambia nuestra actitud, también perdemos la chispa del disfrute y el gozo; poco a poco nos apagamos como una vela que se consume. La etimología de la palabra *entusiasmo* es muy interesante, en griego significa: "Los dioses están dentro de ti", que equivale a estar bendecido.

Al cumplir 50 años estamos en plena menopausia y sentimos que el término menopáusica nos describe, pero este término es usado más como un insulto, que para describir una edad. "Está menopáusica" implica casi decir: "Está loca." Evitemos enojarnos cuando nos agredan de esta forma, recordemos lo que nos dice Confucio sobre los insultos.

En una de las leyendas sobre la juventud de Confucio, se dice que, siendo un joven maestro, viajaba con sus discípulos de ciudad en ciudad en busca de alumnos. En uno de estos viajes, iba a pasar por una ciudad en donde había nacido uno de sus competidores que se ostentaba como su enemigo. Este maestro escribió a su influyente familia que hicieran todo lo posible por desprestigiar a su rival. Cuando Confucio llegó con sus discípulos, los recibieron con terribles insultos. Confucio ordenó a sus acompañantes caminar en silencio hasta salir del pueblo. Los discípulos le preguntaron por qué se había negado a responder a los insultos, y Confucio les dijo: "Los insultos son como los regalos, alguien te los da y tú decides si los aceptas o no. Yo no acepté ninguno de ellos."

LA INTOLERANCIA

Lamentablemente, la intolerancia aparece en nuestra vida como síntoma de la menopausia. Son íntimas amigas y cómplices; poco a poco se introduce en nuestra forma de ser sin siquiera pedir nuestro consentimiento. La intolerancia había permanecido agazapada durante décadas, escondida en los recovecos de nuestra personalidad; vivió disfrazada y temerosa de salir a la luz y de repente, en algún momento de la menopausia, surge con una fuerza que todos notan, menos quien la padece.

A veces no nos percatamos de ella, pero ahí está. De pronto, sin saber cómo o por qué, sentimos que algunas situaciones y/o personas que han formado parte de nuestra vida nos resultan intolerables. La intolerancia es el sentimiento íntimo y no confesado de siempre tener la razón, de saber hacer mejor las cosas y de querer controlar. Se expresa como un rechazo por cierto tipo de personas, de cosas o de situaciones que antes nos podían parecer aceptables o indiferentes, pero que, súbitamente, se nos hacen intolerables. El desconcierto es mayúsculo y nos desconocemos a nosotras mismas; en ocasiones, quisiéramos salir corriendo para no regresar nunca.

La intolerancia lastima a muchas personas inocentes. Recuerdo que hace algún tiempo al contarle a una amiga un suceso muy importante que estaba aconteciendo en mi vida, me impactó diciéndome: "Eso ya me lo dijiste por teléfono, háblame de cosas nuevas que yo no sepa." Me sentí lastimada y no supe qué contestar, mi respuesta fue el silencio. Pero luego pensé que en realidad debería estarle agradecida, por ponerme sobre aviso de que a nuestra edad la intolerancia empezaba a llegar a nuestra vida sin haber sido invitada. Ahora, cuando alguien me vuelve a platicar algo por segunda o tercera vez, tomo nota de que eso que me repite es muy importante para ella, la escucho con atención y evito lastimarla y ser poco agradable. La gente intolerante es muy desagradable para los demás y, generalmente, se queda sola; esto le permite sentirse traicionada por las personas y asumir el papel de víctima, ya que juzga como ingratos a quienes le "han abandonado". Recordemos que nadie tiene la obligación de soportar a una persona intolerante.

No debemos confundir la intolerancia con el deseo de cambiar algunas cosas de nuestra vida; aunque constituye un cambio en nuestra manera de percibir las cosas, no es producto de algo que pensemos que pueda modificarse para mejorar nuestra existencia. Los cambios son propositivos, ya que forman parte de un plan para lograr modificar algo, en ese sentido, la intolerancia se presenta como una acción reactiva, pues es emocional y carece de propósito, sólo rechaza. El cambio es consecuencia de nuestro razonamiento, la intolerancia, una respuesta de nuestros sentimientos. El cambio siempre es voluntario, porque es la expresión de nuestro libre albedrío; la intolerancia no la decidimos, aparece encubierta y a veces no somos capaces de percibirla. El cambio siempre forma parte de un proyecto definido y la intolerancia es una respuesta, por lo general, indefinida. Es importante mencionar que si bien no decidimos ser intolerantes, sí podemos controlar nuestras respuestas intolerantes. Para ello, necesitamos aceptar nuestra propia intolerancia e identificar contra qué personas, situaciones o cosas nos hemos vuelto intolerantes, y obrar en consecuencia, evitando desplantes de intolerancia.

La intolerancia es un sentimiento circular que se retroalimenta y reproduce, ya que mientras más intolerante eres, más intolerable eres para las demás personas. No tiene justificación, aunque sí explicación. Las mujeres hemos tolerado muchas cosas durante tantos años que, de alguna manera, expresamos nuestro desacuerdo, haciéndonos intolerantes a cosas menos importantes que sustituimos por nuestras auténticas protestas, las cuales no expresamos oportunamente, y por las ocasiones en que nos hemos sentido víctimas de abuso. Mientras menos cosas hayamos tenido que soportar en la vida, seremos menos intolerantes en la menopausia.

La intolerancia es nuestra propia venganza contra la excesiva tolerancia que hemos experimentado durante décadas. Muchas mujeres han consentido demasiadas cosas no tolerables por su deseo de ser aceptadas, amadas y perfectas. Hemos aprendido a tolerar que la vida no es como creíamos, como la planeamos o como nos dijo mamá. Una de las más grandes frustraciones que sentimos es que la gente no es como quisiéramos que fuera; casi nunca se comportan de acuerdo con nuestras expectativas, a pesar de que nosotras somos y pensamos como ellos quieren, nos comportamos como ellos esperan y somos perfectas para asegurar el ser queridas, de lo que, generalmente, nunca nos sentimos seguras.

¿Qué tan vieja eres?

La juventud no es una etapa de la vida,
es un estado mental.

No es enteramente cuestión de mejillas rosadas,
labios rojos y rodillas flexibles.

Es temple de la voluntad, calidad de la imaginación,
vigor en las emociones.

Nadie envejece tan sólo por vivir
un número de años.

La gente envejece sólo cuando
abandona sus ideales.
Tú eres tan joven como tu fe,
tan vieja como tus dudas.

Tan joven como tu confianza en ti misma,
tan vieja como tus temores.

Tan joven como tus esperanzas
y tan vieja como tu desesperación.

En el interior de cada corazón hay una cámara de registro;
mientras ésta reciba mensajes de belleza,
esperanza, alegría y coraje, mientras… eres joven.

Cuando tu corazón está cubierto con las nieves del pesimismo
y del escepticismo, entonces, y sólo entonces,
¡tú has envejecido!

RESUMEN

- Una de las mejores pruebas de que hemos alcanzado la madurez es aceptar que el mundo no es un lugar ideal en donde impera la justicia. Asumir el papel de víctima implica no entender este concepto y pensar que la injusticia existe básicamente para perjudicarte.
- La víctima hace de "su mala suerte" un patrimonio que le sirve para justificar el no hacer nada por mejorar su situación.

- La palabra abnegación debería escribirse con un guión intermedio: ab-negación, y su definición sería: "La negación absurda de una misma, negarse consistentemente los satisfactores necesarios."

- Pero, ¿qué negamos en la abnegación? La abnegación es la renuncia de ti misma, es ponerte en el último lugar de tu vida, dejando a un lado los propios derechos, necesidades, gustos y deseos.

- El desarrollo personal en la madurez siempre nos enseña a "Ser yo para mí y para otros, en ese riguroso orden".

- Entender que quien no se quiera y valore a sí misma no es querida y valorada por otros es un aprendizaje fundamental al llegar a la edad de oro.

- El mandamiento de la Ley de Dios dice: "*Amarás a tu prójimo como a ti mismo.*" NO dice: "*Amarás a tu prójimo en vez de a ti misma.*"

- Cuando tenemos más de 50 años sabemos que hemos hecho mucho por muchos, tal vez demasiado, y una parte profunda de nuestro yo se revela y nos empezamos a preguntar: ¿Por qué si soy tan buena, me siento tan mal?

- La respuesta a esta pregunta es muy simple: porque eres buena con todos menos contigo misma, cuando seas buena contigo, te vas a sentir muy bien.

- En la edad dorada, surge otro impedimento que nos lanzan como dardo envenenado aquellos a los que más amamos, viene envuelto en forma de pregunta lapidaria: ¿A tu edad?

- Los filósofos chinos decían: "No es que la gente vieja deje de reírse, lo que sucede es que se hace vieja porque deja de reírse."

- Cuando perdemos el entusiasmo por la vida, no sólo cambia nuestra actitud, perdemos la chispa del disfrute y el gozo; poco a poco nos apagamos como una vela que se consume.

- El término menopausia es usado más como un insulto que para describir una edad. "Está menopáusica", implica casi decir: "Está loca."

- La intolerancia se introduce lentamente en nuestra manera de ser, sin siquiera pedir nuestro consentimiento. De repente, sin saber cómo o por qué, sentimos que algunas situaciones y/o personas que han formado parte de nuestra vida nos resultan intolerables.

- No debemos confundir la intolerancia con el deseo de cambiar algunas cosas de nuestra vida; aunque la intolerancia es un cambio en nuestra manera de percibir las cosas, no es producto de algo que pensemos que pueda modificarse para mejorar nuestra existencia.

- La intolerancia es nuestra propia venganza contra la excesiva tolerancia que hemos experimentado durante décadas. Muchas mujeres han consentido demasiadas cosas no tolerables por su deseo de ser amadas y de ser perfectas.

- Mientras menos cosas hayamos tenido que soportar en la vida, seremos menos intolerantes en la menopausia.
- Aplicarías el concepto, ¿por qué, si soy tan buena, me siento tan mal?, a tu vida.
- ¿Por qué?
- ¿Qué cambios modificarían esas situaciones?

8

La asertividad

> Ser asertiva no es decir todo lo que se piensa,
> sino pensar todo lo que se dice.

La asertividad es la afirmación de una misma a través de la expresión de nuestros acuerdos y desacuerdos, manifestando nuestros deseos en forma positiva, confiada y libre, con la seguridad de que serán respetados, sin permitir ser manipuladas. Ser asertivas es reconocer nuestro derecho a decir "Sí" o "No" a las peticiones que se nos hacen, sin temores, culpa o remordimiento, en el caso de que nuestra respuesta sea contraria a lo que se espera de nosotras, y aceptar el derecho que tenemos a negarnos a realizar lo que no podemos o no queremos. La mujer no asertiva le hace infinitamente más fácil la vida a los demás, pero más difícil a sí misma. La mujer asertiva cree y practica la frase: "Diga no a los demás y sí a usted misma."

El término asertividad viene del verbo "aseverar", que significa declarar o afirmar positivamente, con seguridad, con sencillez o con fuerza. El doctor Herbert Fensterheim, experto en aprendizaje asertivo propone que la persona asertiva posee cuatro características:

1. Se siente libre para manifestarse. Mediante palabras y actos, hace esta declaración: "Este soy yo. Esto es lo que yo siento, pienso y quiero."
2. Puede comunicarse con personas de todos los niveles –amigos, extraños y familiares–, y esta comunicación es siempre abierta, directa, franca y adecuada.

3. Tiene una orientación activa en la vida. Va tras lo que quiere e intenta hacer que sucedan las cosas. En contraste con la persona pasiva, que aguarda a que las cosas sucedan.
4. Actúa de un modo que juzga respetable. Al comprender que no siempre puede ganar, acepta sus limitaciones. Sin embargo, siempre lo intenta con todas sus fuerzas, de manera que, ya gane, pierda o empate, conserva su propio respeto.

¿Por qué se nos dificulta ser asertivas? La respuesta es simple: así fuimos educadas. Se nos dijo, se nos dio el ejemplo o se nos hizo sentir y admitir que ser una buena mujer es aceptar, complacer y decir "sí" a los demás. Nos enseñaron a sentir angustia y culpabilidad cuando decimos "no", y como consecuencia siempre complacemos a otros haciendo lo que nos piden. Decir "Sí" es la manera aceptable y amable de convivir y de evitarnos conflictos. Así, gradualmente, nos vamos convirtiendo en una persona poco asertiva. Por temor a no ser aceptadas, reconocidas y amadas, perdemos nuestro derecho a expresar lo que queremos y lo que no queremos. ¿Cuántas veces hemos tenido este desagradable dilema interno?: "Si le digo que no, me voy a sentir culpable… pero, si le digo que sí, me voy a sentir furiosa conmigo por haber accedido a lo que me pide." Generalmente, preferimos enojarnos con nosotras mismas que correr el riesgo de que la gente, que consideramos emocionalmente importante, se distancie de nosotras y tener que asumir la culpa de haberlo ocasionado.

Las personas que no saben ser asertivas y se sienten imposibilitadas para decir "No" tienen grandes dificultades para defender sus derechos en una sociedad en donde todos piden cosas y constantemente presentan sus demandas a los demás. Quien no es capaz de expresar sus negativas puede perder el control de su vida; esto no significa que debes decir que no a todo, sino que es necesario asumir la responsabilidad de decir sí o no según tus deseos. Decir sí es tan malo como decir no cuando lo que expresamos va en contra de lo que realmente deseamos. Al aceptar hacer lo que no queremos, permitimos ser manipuladas y renunciamos a nuestro derecho de ser asertivas.

La incapacidad de decir no tiene diversas consecuencias que funcionan como un círculo vicioso:

1. Te lleva a realizar actividades que no deseas.
2. Cada vez que aceptas hacer algo que no quieres, te enojas contigo.
3. Frecuentemente, esto provoca que disminuya el respeto por ti misma.

4. Tu comunicación se vuelve cada vez menos efectiva, ya que no puedes expresar lo que realmente quieres.
5. Realizar cosas que no deseas, te distrae y resta tiempo para dedicar a lo que sí deseas hacer.
6. Carente de autosuficiencia, destinas una gran parte de tu tiempo a hacer cosas que no quieres o no te interesa hacer.
7. Te sientes manipulada y/o explotada.
8. Esto ocasiona resentimientos y agresión.
9. Empleas mucha energía en controlar los resentimientos y la agresión.
10. Te sientes insegura, no eres asertiva y se inicia nuevamente el círculo vicioso.

Nunca nos enseñaron a expresar nuestros desacuerdos, de modo que preferimos callarlos, porque tememos al conflicto que pueda surgir si lo hacemos. Ignoramos que aclarar algo y pedir lo que necesitamos no tiene por qué ser motivo de un conflicto. Todo depende de la manera en que lo comuniquemos, por lo general, se confunde lo que una persona hace con lo que es, de manera, que decimos: *"Eres muy desconsiderado"*, en lugar de: *"Actuaste con muy poca consideración."* Lo que una persona es, es lo que la define y resulta muy difícil de cambiar; además, como señalamos actitudes negativas, esto se siente como una agresión. En cambio, cuando describimos objetivamente el comportamiento de la persona con la que nos estamos comunicando, ésta no puede sentirse agredida, porque le estamos diciendo lo que hizo y eso es algo que no puede negar, pero sí puede explicarnos por qué lo hizo. El segundo elemento para hacer este tipo de aclaraciones es expresar el efecto que tiene en nosotros tal comportamiento: *"Actuaste con muy poca consideración y cuando actúas así me siento muy ofendida."*

Pensar que tenemos la obligación de hacer cosas por los demás, aunque no tengamos ganas o tiempo, llega a convertirse en una *trampa autogenerada*. Las trampas autogeneradas son aquellas cosas que nos molestan pero que aceptamos hacer como una obligación sagrada, como un deber irrenunciable, aunque luego reneguemos de que lo tenemos que hacer. Es como el dilema del prisionero, si lo hacemos, nos sentimos mal y nos enojamos, y si no lo hacemos, nos sentimos culpables, tristes y molestos.

Aprender a decir "no", sin sentirse culpable, no es una tarea fácil. Piensa primero en ti y en tus necesidades, antes de aceptar hacer lo que no quieres o lo que te va a representar un sobreesfuerzo. No caigas en la trampa del reconocimiento afectuoso y manipulador de quienes primero nos alaban para después aprovecharse de nuestra complacencia: "Tú que siempre eres tan amable, tan cooperadora, tan competente, ¿podrías hacerme el favor de...?"; o la hábil forma de iniciar una petición rozando nuestros recónditos temores a sentirnos culpables: "No seas mala..." Cómo podría una mujer decir que no, si en el primer ejemplo le están dando el reconocimiento que busca y en el segundo caso la hacen sentir culpable, porque "dejaría de ser buena" si no accede a hacer lo que se le pide. ¿Existe una salida? Sí, la asertividad. Afortunadamente, cuando tenemos la información adecuada sobre la asertividad, podemos cambiar y actuar según nuestros deseos o conveniencia, y obtenemos la capacidad de poder decir no a los demás y sí a nosotras mismas.

Muchas personas tienen un mal concepto de la asertividad, la confunden con la agresividad o con el egoísmo. Ser asertiva no implica ser agresiva, se puede decir que no con amabilidad, sin agredir a otros, pero conservando la dignidad personal. En lo que se refiere al egoísmo, negarse a hacer algo que no queremos no es ser egoísta, es expresar el respeto por sí misma y evitar ser manipulada. Para quienes confunden la asertividad con la agresividad, es importante aclarar que en realidad son muy diferentes. La agresión representa un acto contra los demás, y la asertividad, una conducta que está encaminada a defender nuestros propios derechos. Ser asertivo supone expresar con libertad y sencillez nuestros deseos, sin tratar de imponerlos ni ser agresivo o violento. Una persona, cuando se comporta agresiva o violenta, deja de ser asertivo y se convierte en un majadero. Recordemos siempre que: *"Lo cortés no quita lo valiente"* y *"Lo amable no quita lo asertivo"*. Ser asertiva no significa decir todo lo que se piensa, sino pensar todo lo que se dice. Cuando se dice todo lo que se piensa, se cometen muchos errores: hablamos de más y decimos cosas que no debemos y luego nos arrepentimos, lastimamos a personas inocentes o actuamos sin tacto social.

No te estoy proponiendo rechazar toda posibilidad de ser útil y ayudar a la gente. Lo que te propongo es que te des cuenta si eres la que siempre ayuda a los demás y cuando necesitas ser ayudada todos te dan la espalda. Los favores y ayuda a los demás deben ser una avenida de dos sentidos llamadas: "Hoy por ti, mañana por mí." Si hablo de esto es porque lo viví en carne propia. En algún punto de mi vida, me percaté que yo era la favorita de mucha gente para hacer favores; fue entonces cuando inicié mi aprendizaje de asertividad, creando una estrategia de intercambio afectuoso de servicios y favores. Cuando alguien me pedía algo le decía: "Sí, con mucho gusto, pero yo también necesito que tú hagas algo por mí"; en ese momento, le pedía un pequeño favor a la persona que me solicitaba algo. Dicho favor siempre era más sencillo que lo que se me estaba solicitando. En realidad, a veces me daba trabajo inventar qué tipo de favor o solicitud hacer, pero siempre me las arreglaba para salir con algo. Cuando la respuesta era: "Discúlpame, pero no puedo", yo decía: "Pues yo tampoco puedo, discúlpame." De esta manera, establecía la diferencia entre quienes querían usarme y quienes estaban dispuestos a retribuir un favor o servicio.

Cuando somos asertivas, reconocemos una serie de derechos básicos de la asertividad:

1. Juzgar tu propia conducta, pensamientos y emociones, y responsabilizarte por ellos.
2. No tener que ofrecer disculpas o razones para justificar tu comportamiento y saber que si lo haces es por cortesía.
3. Decidir si te haces o no responsable de solucionar los problemas de los demás.
4. Cambiar de opinión.
5. Equivocarte o cometer errores, sin tener que disculparte por ello.
6. Decir "no sé", sin sentirte ignorante.
7. Ejercer tu voluntad, sin aceptar presiones o ceder a chantajes morales.
8. Tomar decisiones ilógicas o insensatas y atenerte a las consecuencias.
9. Decir "no entiendo" o "no puedo hacerlo", y pedir que se te explique una vez más o se te enseñe a hacerlo.
10. Decir "no me importa", ya sea a las críticas o a los comentarios que te lastiman.

RESPUESTAS ASERTIVAS
A LAS PREGUNTAS INDISCRETAS

Al impartir cursos de asertividad, generalmente me cuestionan qué hacer para responder a preguntas indiscretas o impertinentes; esas preguntas que no se preguntan, pero que mucha gente insensible y sin tacto social hace. Una de las cosas que más trabajo nos cuesta aprender es que

no tenemos la obligación de contestar a todas las preguntas que nos hacen y, menos aun, a las que son molestas, indiscretas u ofensivas. A veces, ante este tipo de preguntas impertinentes, reaccionamos como "niñas buenas" en un examen oral y decimos todo lo que sabemos, y luego nos arrepentimos. Pocas veces reflexionamos sobre el significado de tener dos oídos y una boca; la naturaleza nos está dando un mensaje implícito: *Debemos escuchar el doble de lo que hablemos.*

En estos casos, siempre hay que recordar que las abuelas sabiamente decían: "En boca cerrada no entran moscas", y no desaprovechar la oportunidad de quedarnos calladas, sabedoras de que siempre seremos dueñas de lo que callamos y esclavas de lo que decimos.

Cuando contestamos preguntas que se refieren a nuestra vida privada, es como si, al responder, le diéramos a quien nos pregunta una pistola cargada apuntando hacia nosotras, con balas que tienen nuestro nombre. Sólo nos faltaría decirle: "Dispara, aquí estoy, soy un blanco fácil." Recuerda siempre que si una persona tiene tan poca sensibilidad para hacerte este tipo de preguntas, menos va a tener la suficiente sensibilidad para manejar las respuestas. Nunca esperes discreción de quien te hace preguntas indiscretas. Es así de simple, siempre, en todas las ocasiones… ¡**no** hay excepciones!

Si aceptamos el derecho que asumen algunas personas de hacernos preguntas indiscretas, de esas preguntas que simplemente por educación o sentido común no se preguntan, también tenemos que reconocer nuestro derecho a responderlas, únicamente si así lo deseamos. El no hacerlo no significa ser agresiva ni mal educada; la mala educación está del lado de quien hace la pregunta ofensiva o impertinente. Asumir nuestro derecho a no responder es ser asertiva y es reconocer nuestro derecho a la privacidad. Lo primero que hay que saber sobre este punto es que responder a ese tipo de preguntas tiene dos enfoques. Por un lado, le damos poder sobre nosotros a quien a través de sus preguntas averigua parte de nuestra vida privada; y por otro vamos a estar expuestas y vulnerables. Recordemos que muchas veces se dice que "información es poder". No podemos saber para qué pueda usarse la información personal que estamos proporcionando o si nos pueda perjudicar, en caso de que esta información llegue a ser mal empleada. Tampoco es prudente confiar en la discreción que se puede tener con el manejo de la información que le damos a una persona tan indiscreta como para hacer ese tipo de preguntas impertinentes; con este tipo de información, siempre hay que tener cuidado. También es importante tener presente que si la comunicación de algo íntimo y personal se refiere a la vida de otra persona, dejamos de ser asertivas, cruzamos la frontera del rumor y nos convertimos en unas chismosas.

Cuenta una anécdota periodística que en los años 50, cuando hablar de sexo era tabú, un imprudente periodista le preguntó a una famosa artista: "¿Qué opina usted del sexo?" La respuesta a manera de pregunta fue inteligente y apabullante: "¿Del sexo de quién?" El periodista, que quería poner en una situación comprometedora a la artista, fue el que quedó mal ante todos y abandonó la sala de la conferencia de prensa. Cuando logramos contestar así a un cuestionamiento impertinente, logramos que la respuesta sea tan incómoda como la pregunta. Nos sacudimos el predicamento en el que nos ha puesto la persona imprudente y se lo devolvemos envuelto para regalo con una sonrisa. El objetivo de las estrategias de respuesta para preguntas indiscretas o impertinentes es, precisamente, que la respuesta sea igual de incómoda que la pregunta. Estrategias de respuesta para preguntas indiscretas o impertinentes.

1. No respondas nada. A veces quedarse callada es la mejor respuesta; pero para muchas mujeres resulta difícil, porque tienen muy arraigado el concepto de ser una niña buena, la cual se ha convertido en una buena mujer que no sabe ser asertiva. Si deseamos complacer a todos respondiendo cosas que en realidad no les importan, nunca debemos informarles sobre nuestra vida privada, porque lo más seguro es que acabemos odiándonos por haberlo hecho. Que tu silencio sea un ruido ensordecedor para los oídos de quien te hace una pregunta indiscreta. Si insisten repitiéndote la pregunta imprudente puedes contestar: "¡No oigo nada!", y seguir callada hasta que el mensaje quede claro.

2. Contesta con una pregunta. Cuando respondemos una pregunta que no queremos contestar con otra pregunta, pasamos en unos segundos de interrogada a interrogadora. La pregunta-respuesta más fácil es: "¿Por qué me preguntas eso?" o "¿Por qué te interesa tanto mi vida privada?". Mientras nuestro interrogador encuentra una explicación aceptable para su indiscreción, nosotras tenemos tiempo para elegir la estrategia de nuestra respuesta final. Esto a veces no es necesario, ya que la persona indiscreta generalmente no se espera una pregunta-respuesta directa de este tipo, y su respuesta a manera de explicación puede dar por concluido el interrogatorio.

3. Responde algo que no tenga nada que ver con la pregunta. Otra estrategia es responder con alguna información muy, muy abundante que no tenga relación con lo que nos preguntaron. Lo que contestes debe ser una información muy amplia, casi como si le estuvieras dando una conferencia de prensa. En este caso, habla de una noticia del periódico, de un tema que conozcas bien, del último libro que leíste o de una película que te guste. No importa de qué hables, pero tienes que hablar mucho, lo importante es no quedarse callada y hablar y hablar, mientras el o la indiscreta se pregunta: "¿Qué tiene esto que ver con lo que yo quiero saber?"; poco a poco le irá quedando claro el mensaje: "No me importa lo que tú me preguntes, yo sólo hablo de lo que yo quiero." Puedo asegurarte que, en la mayoría de los casos, esa será la última pregunta indiscreta que esa persona se atreva a hacerte.

4. Contesta con una ironía. Cuando la pregunta es muy íntima y personal, una respuesta irónica es ideal. Por ejemplo: "Mira, estoy escribiendo mi autobiografía, que trata muy ampliamente de ese tema. Cuando esté lista la edición, te voy a obsequiar un ejemplar autografiado" o "Eso es información clasificada como confidencial" o "Eso no lo sabe ni mi psicoanalista, ¿cómo supones que te lo voy a platicar a ti?". Enseguida, eliges otro tema de conversación y hablas de él como si nada hubiera pasado.

5. Habla con claridad. Cuando te enfrentes a la terquedad de una pregunta molesta e insistente que no deseas contestar, no cuides ni protejas los sentimientos de quien te interroga, ya que dicha persona no está tomando en consideración cómo puedes sentirte al ser interrogada de esa manera. Habla con claridad, sé firme y asertiva, sobre todo, **no** des ningún tipo de explicaciones, es válido responder: "Y a ti, ¿qué te importa?" Niégate a decir nada más sobre el tema, procurando no mostrar tu molestia o enojo, simplemente pasa a otro tema de conversación o usa alguna de las estrategias antes descritas.

6. "¿Puedo hacerte una pregunta personal?" Esta introducción, por lo general, es la entrada para una pregunta indiscreta. Cuando contestas "Sí", sientes que has hecho un compromiso de veracidad. A no ser que tengas un contrato firmado al respecto, **no** estás obligada a contestarle nada a nadie, a menos de que te encuentres frente a un juez en un proceso judicial. La respuesta a esta pregunta introductoria es la clave para que no te hagan la pregunta indiscreta: "Tú me puedes preguntar lo que quieras y yo te voy a contestar sólo lo que quiero." Esta forma de contestar equivale a oprimir la tecla "suprimir" a la pregunta impertinente.

RESUMEN

- La asertividad es la afirmación de una misma a través de la expresión de nuestros acuerdos y desacuerdos, manifestando nuestros deseos en forma positiva, confiada y libre, con la seguridad de que serán respetados, sin permitir ser manipuladas.
- Ser asertivas es reconocer nuestro derecho a decir "Sí" o "No" a las peticiones que se nos hacen, sin temores, culpa o remordimiento.
- La mujer no asertiva le hace infinitamente más fácil la vida a los demás, pero más difícil a sí misma.
- La mujer asertiva cree y practica la frase: "Diga no a los demás y sí a usted misma."
- ¿Cuántas veces hemos tenido este desagradable dilema interno?: "Si le digo que no, me voy a sentir culpable... pero si le digo que sí, me voy a sentir furiosa conmigo por haber accedido a lo que me pide."
- Aprender a decir "NO", sin sentirse culpable, no es una tarea fácil. Piensa primero en tus necesidades, antes de aceptar hacer lo que no quieres o lo que te va a representar un sobreesfuerzo.
- La asertividad implica tener la capacidad de poder decir no a los demás y sí a nosotras mismas.
- No te estoy proponiendo rechazar toda posibilidad de ser útil y ayudar a la gente. Lo que te propongo es que te des cuenta si eres la que siempre ayuda a los demás y cuando necesitas ser ayudada todos te dan la espalda.
- Establece la diferencia entre quienes quieren usarte y quienes están dispuestos a retribuirte un favor o servicio.
- Algunas personas confunden la asertividad con la agresividad. Ser asertivo supone expresar con libertad y sencillez nuestros deseos, sin tratar de imponerlos ni ser agresivo o violento.
- Ser asertiva no significa decir todo lo que se piensa, sino pensar todo lo que se dice.
- Cuando se dice todo lo que se piensa, se cometen muchos errores: hablamos de más y decimos cosas que no debemos, y luego nos arrepentimos, lastimamos a personas inocentes o actuamos sin tacto social.
- Una de las cosas que más trabajo nos cuesta aprender es que **no** tenemos la obligación de contestar todas las preguntas que nos hacen y, menos aun, las que son molestas, indiscretas u ofensivas.
- Nunca desaproveches la oportunidad de quedarte callada. Recuerda que siempre seremos dueñas de lo que callamos y esclavas de lo que decimos.

- Si aceptamos el derecho que algunas personas asumen de hacernos preguntas indiscretas, tenemos que reconocer nuestro derecho a responderlas, únicamente, si así lo deseamos.
- Recuerda siempre que si una persona tiene tan poca sensibilidad para hacerte este tipo de preguntas, menos va a tener la suficiente sensibilidad para manejar las respuestas.
- *No respondas nada.* A veces quedarse callada es la mejor respuesta.
- *Contesta con una pregunta.* Cuando respondemos una pregunta que no queremos contestar con otra pregunta, pasamos en unos segundos de interrogada a interrogadora.
- *Responde algo que no tenga nada que ver con la pregunta.* Lo que contestes debe ser una información muy amplia, casi como si le estuvieras dando una conferencia de prensa.
- *Contesta con una ironía.* Cuando la pregunta es muy íntima y personal, una respuesta irónica es ideal.
- *Habla con claridad.* Cuando te enfrentes a la terquedad de una pregunta molesta e insistente que no deseas contestar, no protejas los sentimientos de quien te interroga.
- *¿Puedo hacerte una pregunta personal?* Esta introducción, por lo general frecuentemente, es la entrada para una pregunta indiscreta. Cuando contestas "Sí", sientes que has hecho un compromiso de veracidad. Es válido decir "No".
- ¿A qué es a lo que más trabajo te cuesta decir "No"?
- ¿Con quién no puedes ser asertiva? ¿Por qué?

9

Psicología de los cambios

> Para obtener resultados diferentes,
> tienes que hacer cosas diferentes,
> porque si sigues haciendo lo mismo,
> obtendrás idénticos resultados.

A pesar de que una de nuestras palabras favoritas es, en realidad nada en la vida es para siempre. El cambio es una de las experiencias que más trabajo nos da asimilar y aceptar. En muchas ocasiones, no entendemos algunas realidades de la vida, la más difícil de entender es la permanencia del cambio. La naturaleza nos indica día tras día que el cambio es una constante: cambian las estaciones del año, la temperatura, el día y la noche se suceden. El desarrollo de los seres vivos implica cambios constantes, esto es tan importante que cuando en el desarrollo de una criatura no se presentan cambios, podemos suponer que existe un trastorno. Algunas veces las cosas cambian para mejorar y otras para empeorar, para aparecer o para desaparecer, para desarrollarse o para perfeccionarse. Todo cambia aunque no queramos, porque el cambio es el motor de la vida.

Todo cambia, lo único que no cambia es el cambio. Los seres humanos cambiamos, aunque no nos lo propongamos y, a veces, aunque no nos guste. Las mujeres no podemos ser una excepción. Cambiamos continuamente nuestros sentimientos, la manera de pensar, nuestros proyectos y nuestra forma de vivir. Cambia nuestra edad, talla, peso, situación económica, la familia, las amistades, el trabajo, etc. El cambio permite adaptarnos mejor a las circunstancias, quien lo rechaza deja de fluir en el río de la vida y se estanca. A menos de que tengamos la capacidad de ver y aceptar los cambios como una parte natural de la existencia, viviremos, en el mejor de los casos, sin armonía, desadaptadas y estresadas, y en el peor, completamente fuera de la realidad. Quien no acepta los cambios pierde la oportunidad de ser una mejor persona.

Los cambios que decidimos efectuar enriquecen nuestra vida, porque podemos planearlos según nuestras expectativas y deseos. El mejor antecedente de los cambios es la capacidad de reflexionar y la decisión de modificar algo para mejorarlo. Esto requiere de la habilidad de separarse momentáneamente de los sucesos y observar qué es lo que está pasando, es como dar unos pasos atrás para, desde esa distancia, tener una mejor perspectiva de las cosas. Dicha habilidad está estrechamente relacionada con la imaginación, la cual nos permite crear aquello que no existe, como paso previo a la búsqueda de los mecanismos para su realización. Si pensamos que no podemos enfrentar los problemas que la vida nos presenta, o los negamos actuando como si todo estuviera bien, percibimos al mundo sin posibilidades de cambio. Cuando no existe más que lo que se ve, no hay un espacio para los anhelos de un mejor futuro, y dejamos de soñar y de desear; nuestra vida se hace gris, porque la alegría y la felicidad nunca favorecen a la gente que no cree en ellas. Por eso, algunas mujeres mueren muchos años antes de que las entierren, viviendo una vida tristemente gris, sin expectativas de mejora.

El cambio es una variación o modificación de aquello a lo que estamos acostumbrados. Todo cambio nos lleva de lo familiar y conocido a lo desconocido; es el advenimiento de una diferencia específica en las características de una persona, situación u objeto. Todo cambio requiere de una renuncia y una pérdida. El cambio implica aceptar lo nuevo y disfrutar las diferencias, lo que era ya no es y nunca volverá a ser. El duelo de perder lo conocido y el temor de adaptarnos a lo nuevo provocan *alarma emocional*. La alarma emocional es un estado de alerta psicológica que se presenta ante el cambio percibido como peligroso, debido al miedo que se siente al abandonar la zona de comodidad. Nuestra *zona de comodidad* nos da seguridad, pues es el área conocida en la que nos desenvolvemos sin temor ni cuestionamientos, casi de manera automática, ya que conocemos todos sus ángulos y vericuetos.

Cambiar es "dejar ir", ceder y desprendernos de algo valioso, es como morir un poco, por tal razón causa alarma emocional. Por ello, también empleamos la frase "dejar ir" al referirnos a la muerte, la cual nos provoca una mezcla de tristeza, miedo, sumisión y respeto. Lo conocido y seguro se acabó, ahora debemos enfrentarnos a lo desconocido e inseguro. Este es el origen de la alarma emocional, en ese estado emotivo surgen varios tipos de sentimientos, y de éstos, los que predominan, son el miedo y la impotencia, que se suman a los de pérdida y duelo. Dicha alarma emocional es el origen del temor y de la resistencia al cambio.

Por lo común, se piensa que el cambio es automático e instantáneo, algo así como prender la luz en una habitación oscura. La realidad es muy diferente. El cambio es un proceso que comprende una serie de 6 etapas.

1. Decisión. Para que el cambio se realice, es necesario tomar la decisión de renunciar a algo o a alguien por un bien mayor, una mejor relación, buscando mayor bienestar o algo nuevo. Decidir implica un ejercicio de libertad e inteligencia al elegir lo que se considera más conveniente. Nuestro libre albedrío, la búsqueda de nuestras conveniencias o de una mejor calidad de vida son algunas de las motivaciones más frecuentes para iniciar un proceso de cambio personal o externo.

2. Duelo. Todo cambio conlleva un duelo psicológico, porque se abandona algo o a alguien y hay una pérdida. Frecuentemente, el duelo psicológico se acompaña de sentimiento de culpa por abandonar lo conocido. La suma del duelo psicológico y la culpa se experimentan como una alarma emocional que, generalmente, nos alerta de un peligro. El duelo por la pérdida y el sentimiento de culpa por abandonar lo conocido originan el temor de enfrentarse a lo nuevo. A menudo se renuncia al cambio para evitar la alarma emocional.

3. Desconcierto. La siguiente etapa es el desconcierto. Se duda de la decisión tomada, pues todavía no se tiene la habilidad para manejar las repercusiones de la nueva situación y aún no se han experimentado los beneficios del cambio; además, tememos abandonar nuestra zona de "comodidad" o seguridad. Nuestra zona de comodidad es el ámbito psicológico donde nos sentimos más seguras; cuando salimos de ella, nos invade una imperiosa necesidad de regresar a la situación anterior, en la que se cree que no hay peligros porque nos es familiar.

4. Regresar. Si logramos regresar a la situación anterior, disminuimos la alarma emocional, pues no tenemos que enfrentar el miedo e inseguridad de una nueva situación y las dudas sobre si podremos o no manejarla eficazmente. La decisión, el duelo, el desconcierto y el deseo de regresar a la situación previa sirven como antecedentes y como preparación para el verdadero cambio, por eso todo cambio resulta difícil.

5. Renuncia. En esta quinta etapa es cuando realmente se inicia el cambio. En ella, se deja atrás la situación anterior, se acepta el cambio como algo positivo o inevitable y se renuncia definitivamente a las ventajas existentes, se acepta lo nuevo y se enfrenta el reto al cambio. Es aquí cuando suprimimos la culpa de abandonar lo conocido y disminuye la alarma emocional.

6. Afirmación. Finalmente, la afirmación del cambio se refiere a reconocer los beneficios que éste traerá a nuestra vida y a implantar los medios necesarios para llevarlo al cabo. Cuando se vive un cambio que hemos decidido, razonado y planeado, desaparece el miedo y se aceptan las ventajas de lo nuevo. A veces hasta nos preguntamos por qué no habíamos realizado antes el cambio.

Los cambios, cuando son radicales, producen conflicto, rompimiento y dolor. Sólo son aconsejables cuando podemos asumirlos con fortaleza propia y apoyos externos. Si se asumen por imitación nos perjudican, pues nos son ajenos. Cuando se imponen, la gente se resiste, porque el cambio debe ser un ejercicio de nuestro libre albedrío. Cuando se da en nuestro medio sin explicación, genera desorientación y oposición. El cambio positivo es aquel que se basa en el conocimiento personal y en el pleno convencimiento, además va de acuerdo con nuestros valores; se inicia dentro de nosotras y se reflejará en nuestra forma de sentir, pensar y actuar; constituye un cambio razonado que implica coherencia entre lo que pensamos, sentimos y hacemos. Cuando el cambio personal no cumple con estas características, no es el resultado de una superación personal, y sólo sustituye un conflicto por otro, con una buena dosis de culpa por haber dejado atrás la situación preexistente. Puede haber cambios sin superación personal, pero no superación personal sin cambios. La clave es trabajar primero en nuestro interior con nuestras creencias, sentimientos, valores, autoimagen y objetivos, para luego actuar en consecuencia, efectuando los cambios que hayamos decidido. Hacerlo al revés es entrar en un territorio desconocido, sin mapa ni brújula que nos guíe.

El cambio tiene una relación interesante con el tiempo. Los cambios súbitos siempre desconciertan y generan temor. Si, además de ser súbitos, se nos imponen, crean inconformidad y distanciamiento. Cuando los hemos decidido y son bruscos, la rapidez con que los realizamos nos hace sentir como si nos hubiéramos lanzado al vacío. Si bien es cierto que a veces una pueda sentirse asfixiada por las circunstancias de su existencia, los cambios bruscos generalmente se convierten en una especie de nudo corredizo, y cualquier esfuerzo por desasirse lo aprieta aún más. Sólo cuando el cambio se inicia paulatinamente, sin prisa pero sin pausa, las situaciones se van modificando con el mínimo de conflictos.

El cambio paulatino puede explicarse con el ejemplo de la rana. Si queremos que una rana nade en agua caliente, y la colocamos en un recipiente con una temperatura más alta de la que está acostumbrada, la rana brinca y se sale. Si al contrario, la ponemos en un recipiente con el agua a la temperatura a la que está acostumbrada e incrementamos poco a poco la temperatura del agua, la rana termina acostumbrándose a nadar en el agua caliente, sin prisa, pero sin pausa.

Cuando se ignora este principio del cambio paulatino que se realiza sin prisa, pero sin pausa, sucede que tan pronto una mujer inicia sus cambios y actúa con mayor valor propio y energía, los suyos, aquellos a los que más ama y los que se han convertido en no tan queridos, se sienten amenazados y reaccionan negativamente: le dan innumerables argumentos y críticas en contra del cambio, sin tomar en cuenta, como es costumbre, sus deseos o necesidades. A veces, estas personas también se sienten defraudadas, al ver que la mujer ya no es la misma y no está dispuesta a continuar a disposición de los demás. Ya no van a poder seguir aprovechándose de ella, pues ahora resulta que recién ha inaugurado su propia vida, y en ella tiene necesidades, deseos y metas propias que satisfacer en primer lugar. Toda mujer decidida a iniciar cambios en la manera de vivir su vida debe esperar este tipo de reacciones. Muchas se arrepienten de haber iniciado los cambios, porque no soportan la inseguridad que estas respuestas críticas les producen, y mansamente "regresan al redil". En ocasiones, nos engañamos con falsos cambios que sólo son un paréntesis para regresar a los hábitos anteriores. El secreto de los cambios en la menopausia consiste en sentirse satisfecha del cambio que se ha hecho y en dar la conducta anterior por terminada para iniciar una nueva etapa, en la que los cambios son el eje fundamental. Es como dar vuelta a la página de un libro con la certeza de que no tenemos la intención de volver a leerla. En honor a la verdad, debo decir que hacer esto **no** es fácil, pero **sí** es posible.

Cuando dejamos de vivir 100% activamente en el mundo para vivir parte del tiempo en nuestro interior reflexionando, se modifican las percepciones y creencias sobre nosotras, los otros y el mundo. En lo referente a nosotras, evaluamos y cambiamos nuestro proyecto de vida; respecto a los otros, especialmente a los que más amamos, dejamos de tomarlos como algo seguro que está ahí y forma una parte importante de nuestra vida. Ya hemos tenido muchas pérdidas y ahora sabemos que también a ellos los podemos perder o ellos nos pueden perder a nosotras. El concepto de lo finito, de alguna manera, se instala en nuestro lado consciente. Empezamos a hacernos selectivas y somos más exigentes con todas las cosas del mundo. Ya no nos conformamos con ir al cine, ahora queremos ir para ver una buena película. Más que muchos conocidos, queremos tener verdaderos amigos, aunque sean pocos. Poco a poco vamos cambiando y el resultado será muy satisfactorio. Todos estos cambios positivos son característicos de la menopausia y debemos aceptarlos y disfrutarlos.

Algunas personas intentan que los demás cambien, para ellos quedarse igual cuando algo no les gusta, no va de acuerdo con lo que quisieran o lo que planearon; intentan cambiar a los demás y únicamente logran sentirse frustradas, porque no se puede controlar el cambio en otras personas. Una de las cosas más asombrosas del cambio es que cuando nosotras cambiamos, nuestra relación con los demás también cambia y la respuesta de ellos también se modifica. Esta es la única forma en la que podemos influir en el cambio de otros. Es importante recordar que todo cambio es un ejercicio de la inteligencia, pues es a través del libre albedrío como se decide *qué, por qué, para qué, cómo y cuándo* se va a cambiar, de acuerdo con los propios deseos. Antes de iniciar un cambio, necesitamos tener una respuesta satisfactoria para todas y cada una de estas interrogantes. Cuando logramos tener una respuesta a dichas interrogantes, el cambio es bienvenido, porque es una experiencia muy satisfactoria.

El cambio de actitudes constituye una herramienta para elevar nuestra eficacia y calidad de vida. La actitud es la forma de actuar, sentir o pensar que muestra nuestra disposición u opinión hacia algo o hacia alguien; es la respuesta no verbal que tenemos ante una situación, una propuesta o la actitud de otra persona. El cambio de actitudes representa una de las mejores herramientas para mejorar las relaciones interpersonales. Cuando existen problemas, generalmente pensamos que si tan sólo los otros modificaran sus actitudes, la situación mejoraría. Nadie mejor que tú conoce cuáles de las actitudes te convendría cambiar para mejorar tu calidad de vida. La única manera que tenemos para influir sobre las actitudes de quienes nos rodean es cambiando las nuestras. Elabora una lista de las actitudes que deseas cambiar; reordena tu lista, dando diferente prioridad a los cambios que te propones; y finalmente, aplica esos cambios, de uno en uno, o máximo de dos en dos. Una vez superados esos cambios, pasa a los siguientes; nunca imagines que es posible hacer todos al mismo tiempo.

Charles Swindoll destaca la importancia de las actitudes, y afirma:

Día a día es nuestra la elección de la actitud que asumiremos en respuesta a toda situación. No podemos cambiar nuestro pasado, no podemos cambiar a las personas ni el hecho de que la gente actúe en determinada forma. No podemos cambiar lo inevitable. Lo que podemos hacer es modificar lo único que sí podemos controlar… y eso es nuestra actitud. Estoy convencido de que la vida está constituida por 10% de lo que nos ocurre y 90% de cómo reaccionamos ante ello. Hay que recordar que en todo momento somos responsables de nuestra actitud. En efecto, todo lo que somos depende enteramente de nuestra actitud.

RESISTENCIA AL CAMBIO

> Quien se resiste a los cambios pierde
> la oportunidad de ser una mejor persona.

La resistencia al cambio tiene diversas causas. Algunas personas creen que cambiar implica modificar todo, e ignoran que el cambio es selectivo. Otros se oponen a todo cambio y, por lo común, no conocen el origen de su resistencia, que generalmente es rigidez, ignorancia o miedo; creen que están evitando el cambio, pero lo que realmente impiden es su propio progreso. Cuando cambia alguna cosa que había sido parte de nuestra realidad durante mucho tiempo, inventamos una serie de pretextos para no aceptarla, porque tememos reconocer que la mayoría de los cambios nos produce extrañeza, inseguridad o miedo. Cambiar implica soltar aquello que nos ata a costumbres y hábitos que limitan nuestra capacidad de adaptación y aprendizaje, para vivir en un mundo que está en constante cambio. Aceptar que las cosas cambian significa despojarnos de algo que era valioso para nosotros, y de ahí surgen los sentimientos de pérdida, duelo y culpa.

No es fácil vivir cambios importantes y quedarnos como si no hubiera pasado nada. Algunos cambios que ocurren en nuestras vidas en ocasiones representan pérdidas muy importantes y significativas de seres queridos o de situaciones que fueron muy agradables. La angustia, que en estos casos acompaña al cambio, provoca que muchas personas busquen ayuda profesional de

un psicoterapeuta para lograr adaptarse y aceptar las nuevas circunstancias de su vida. Estos cambios requieren un periodo de ajuste a las nuevas circunstancias, que en realidad representan un duelo. Adaptarse a los cambios es un requisito para aprender a vivir en el presente: cuando aprendemos a adaptarnos a los cambios, en lugar de temerlos y rechazarlos, dejamos de añorar *el pasado, de angustiarnos por el futuro, y así podemos vivir más plenamente, disfrutando el presente.*

Todas podemos identificar cambios que nuestra existencia nos ha impuesto y que constituyen verdaderos parteaguas en nuestra vida. Algunos de estos cambios son muy agradables, por ejemplo, el matrimonio; otros cambios representan una forma de resolver un conflicto, tal es el caso de un divorcio; y en algunas ocasiones los cambios se nos imponen y resultan muy dolorosos, como la muerte de un ser querido. Cuando la persona no acepta los cambios inevitables, pierde la capacidad de adaptación y vive en conflicto. Aprender a vivir en el presente es aprender a disfrutar cada día, y significa aceptar que el pasado ya no está, el futuro todavía no llega... nuestra cita con la vida es en el momento presente.

Las razones para el cambio son diversas. Algunas personas desean cambiar para superarse, porque la realidad los obliga, por conveniencia, para ser más felices o para trabajar mejor y ser más competitivos. Hay quienes, desafortunadamente, no saben cómo lograr el cambio y, en ocasiones, se convierte en un esfuerzo desgastante e infructuoso. Otras veces, el cambio se convierte en un proceso frustrante, porque cuando queremos que se dé un cambio pensamos que "son los otros los que tienen que cambiar". Este error de juicio nos sirve de justificación, ya que siempre resulta más agradable y cómodo echarles a otros la culpa de nuestros errores. Tales personas ignoran la premisa fundamental para lograr el cambio, sea personal o profesional: para obtener resultados diferentes, tienes que hacer cosas diferentes, porque si sigues haciendo lo mismo, obtendrás resultados idénticos.

Cuando queremos que los otros cambien y se adapten a nuestros deseos, deterioramos las relaciones interpersonales, pues la mejor forma de interactuar con los demás es aceptarlos como son y respetar sus propias decisiones. Generalmente, las personas que guardan estas expectativas son aquellas que no aceptan la necesidad que ellas tienen de hacer cambios en sí mismas. Esto es una parte de la naturaleza humana que ha sido estudiada por muchos pensadores, pero la solución sigue siendo propiedad de cada individuo. ¿Tú qué opinas?

Una de las principales actividades profesionales de los psicólogos es ayudar a las personas a elevar su calidad de vida; esto se logra promoviendo cambios en aquellas áreas de la conducta que requieren diferentes enfoques, es decir, cambios, sean éstos de actitudes, de hábitos, en la forma de razonar o de los sentimientos. La incapacidad de aceptar algunos cambios radicales de la vida es una de las causas que mayor dolor y sufrimiento generan en el ser humano. En algunas ocasiones, las personas aceptan como inmutable algo que se puede cambiar, en otras, tratan de cambiar algo que es imposible de modificar. Dicho comportamiento produce mucho sufrimiento y una sensación de impotencia, originado por el desconocimiento del proceso de los cambios. Hace casi 20 siglos, Marco Aurelio (121-180 d. C.) expresó esto magistralmente:

Dios mío. Concédeme la serenidad para aceptar
las cosas que no puedo cambiar,
El entusiasmo para cambiar las cosas que sí puedo.
Y la sabiduría para comprender la diferencia.

El cambio es uno de los procesos psicológicos que más sufrimiento provoca, pues mientras estamos esperando que las personas o las situaciones cambien, perdemos la oportunidad de cambiar nosotros, y este es el único cambio que verdaderamente podemos controlar. El cambio es como una puerta que se abre desde adentro y que en el lado exterior ni siquiera tiene picaporte, por ello resulta imposible abrirla desde afuera, a no ser que, para hacerlo, destrocemos la puerta. Es por esta razón que cuando insistimos en que otra persona cambie rara vez lo logramos. Cambiar es una decisión personal y un ejercicio de nuestra inteligencia y de nuestro libre albedrío. La aceptación del cambio requiere:

- Decidir renunciar a lo conocido.
- Superar el duelo de la pérdida.
- Tomar el tiempo necesario para acostumbrarse a lo nuevo.
- Adaptarnos a las nuevas condiciones.
- Conocer y disfrutar las ventajas del cambio.
- Aceptar que ningún cambio es definitivo, pues todo seguirá cambiando.

LOS CAMBIOS EN LA MENOPAUSIA

En la menopausia cambia nuestro cuerpo, nuestra psicología y nuestro espíritu. Algunos cambios son más visibles que otros. La interrupción de la menstruación ha sido tomada como un suceso que indica la llegada a esta edad; pero nuestra psicología también cambia, porque está ligada a la tercera y penúltima parte de nuestra vida, lo cual nos lleva a cambios en la percepción y evaluación de la vida misma y de nuestro fin último. Nuestra apariencia cambia, y a veces pensamos que una desconocida nos observa desde el espejo; para disfrutar esta etapa de la vida, tenemos que aceptar que Ella es nuestra nueva Yo, debemos aceptarla, consentirla y quererla. Muchas cosas cambian en nuestra vida, no importa que el peso corporal siga siendo el mismo, la proporción de las dimensiones corporales se modifica, señales todas de que hemos alcanzado la madurez. Preferimos reuniones pequeñas con amigos a fiestas con multitudes; recordar se convierte en un nuevo hábito; nuestra vida sexual también cambia, si bien es menos frecuente, se vuelve más intensa y profunda. En esta nueva etapa, buscamos calidad en vez de cantidad.

Nuestras prioridades cam-bian. Cómo nos vemos deja de ser lo más importante y se sustituye por cómo nos sentimos. Nos hacemos más lentas y nos cansamos más. Nuestro metabolismo cambia y cobra facturas. Nuevas palabras se introducen en nuestro vocabulario: presión alta, colesterol, triglicéridos, tolerancia a la glucosa, remplazo hormonal, reumas, artritis… todas forman parte del mundo de la menopausia. Nos percatamos de que todo sigue cambiando y, finalmente, aprendemos que o nos modificamos con los cambios o nos quedamos fuera del juego de la vida. Nuestros planes ya no pueden ser a largo plazo, porque ya no hay largos plazos para nosotras, éstos se sustituyen por los medianos plazos; el corto plazo es la vida misma del mañana. Si no hemos aprendido a vivir en el hoy, en el aquí y en el ahora, perdemos momentos invaluables, y de eso es de lo que está hecha la vida.

Si una amiga de nuestra edad muere por una enfermedad, lamentamos el inmenso vacío que deja en nuestra vida y, posiblemente, por primera vez pensamos: "Se me adelantó." Empezamos a valorar y a atesorar los recuerdos y el afecto de gente contemporánea, que nos ha brindado su cariño y amistad. La amistad se convierte en un valor muy especial; la palabra *amiga* adquiere un nuevo significado de afecto, comprensión, identificación y confianza. Muchas que antes decíamos eran nuestras amigas, pasan a ser simplemente conocidas o compañeras. También cambia nuestro espíritu. Nos hacemos más selectivas, dejamos de buscar la cantidad en todo y elegimos la calidad. Ya no queremos ni necesitamos mucho de todo, sino poco de algunas cosas seleccionadas. Finalmente, logramos vivir con arte y no con harto.

Al llegar a la menopausia, damos gracias por la salud que tenemos, es el momento en el que empezamos a cuidarnos más formalmente, haciendo visitas periódicas al médico, aunque no nos sintamos enfermas. Si nuestros padres mueren durante esta etapa somos conscientes de que pasamos a la primera línea (o será la última), y que seguimos nosotras. A veces, en nuestros peores momentos, nos sentimos en cuenta regresiva. La aceptación de esta realidad nos impulsa a querer valorar y gozar la vida a lo largo y a lo ancho. No desperdicies un solo momento, tu principal responsabilidad en la vida es contigo, busca tu calidad de vida y la felicidad que te mereces.

Muchas cosas cambian a esta edad. Con frecuencia, las mujeres callamos las cosas más importantes que debemos hablar y nos dedicamos a comunicar lo intrascendente. Al llegar a la menopausia, esto cambia radicalmente y deseamos ser escuchadas, hablamos menos y pensamos más. Finalmente hemos abandonado la superficialidad, nos hacemos más reflexivas y somos más profundas. Como consecuencia, aprendemos a escuchar y comunicarnos mejor de lo que lo habíamos hecho durante toda nuestra vida. Decir nuestra verdad sobre sentimientos y afectos aligera nuestra alma y nos quita la terrible posibilidad de un día pensar: "Nunca le dije que lo amaba y que era algo muy importante en mi vida." Nuestras emociones están a flor de piel, nos volvemos más sensibles, tanto que a veces podemos llorar por una simpleza.

Otro de los cambios más importantes de la menopausia es que se inicia el tiempo de la cosecha. Lo que sembramos en la vida durante la primavera y el verano, está dando frutos en el otoño, y esto es lo que recibimos, nada más ni nada menos. Evaluamos nuestra vida y agradecemos lo recibido o reclamamos lo que no se nos ha otorgado, dichas actitudes se reflejan en el carácter de la gente y hasta en la expresión de su cara. Cambiamos lo material por lo espiritual, surge con mucha fuerza la espiritualidad. Algunas mujeres regresan a su iglesia, otras buscan nuevas creencias y cultos, pues hay una inmensa necesidad de creer o de volver a creer en lo que nos trasciende. Si somos afortunadas y no hemos perdido la capacidad de asombro, aprendemos a disfrutar cada minuto de nuestra vida. Nuestros días se convierten en una vivencia especial o en una nueva experiencia que agradecemos, y entonces, cuando estamos en paz, podemos hacer nuestras las palabras del poeta Amado Nervo:

En paz

Muy cerca de mi ocaso, yo te bendigo, vida
porque nunca me diste ni esperanza fallida,
ni trabajos injustos ni pena inmerecida.

Porque veo, al final de mi rudo camino,
que fui yo el arquitecto de mi propio destino.

Que si extraje la miel o la hiel de las cosas,
fue porque en ellas puse hiel o mieles sabrosas.

Cuando sembré rosales
coseché siempre rosas,
cierto, a mis lozanías va
a seguir el invierno
mas tú no me dijiste que mayo fuese eterno.
Hallé sin duda larga la noche de mis penas
mas no me prometiste tú sólo noches buenas
en cambio tuve algunas santamente serenas.

Amé, fui amado, el sol acarició mi faz,
vida nada te debo, vida, estamos en paz.

AMADO NERVO

RESUMEN

- A pesar de que una de nuestras palabras favoritas es *siempre*, en realidad nada en la vida es para siempre. Todo cambia aunque no queramos, porque el cambio es el motor de la vida.
- El cambio nos permite adaptarnos mejor a las circunstancias, quien rechaza el cambio deja de fluir en el río de la vida y se estanca. Lo único que no cambia es el cambio.
- El cambio provoca *alarma emocional*, pues lo conocido y seguro se acabó y debemos enfrentarnos a lo desconocido e inseguro.
- La alarma emocional es un estado de alerta psicológica que se presenta ante el cambio que se percibe como peligroso, ya que tenemos miedo de abandonar nuestra zona de comodidad.

- Por lo común, se piensa que el cambio es automático e instantáneo, algo así como prender la luz en una habitación oscura. El cambio es un proceso que comprende una serie de seis etapas.

- Los cambios, cuando son radicales, producen conflicto, rompimiento y dolor, y sólo son aconsejables cuando podemos asumirlos con fortaleza propia y apoyos externos.

- El cambio positivo es aquel que se basa en el conocimiento personal, en el pleno convencimiento y va de acuerdo con nuestros valores. Es un cambio que se inicia dentro de nosotras y que se reflejará en nuestra forma de sentir, pensar y actuar.

- Puede haber cambios sin superación personal, pero no superación personal sin cambios.

- Los cambios súbitos siempre desconciertan y generan temor. Si, además de ser súbitos, se nos imponen, crean inconformidad y distanciamiento.

- Cuando se ignora el principio del cambio paulatino que se realiza sin prisa, pero sin pausa, sucede que tan pronto una mujer inicia sus cambios y actúa con mayor valor propio y energía, los suyos, aquellos a los que más ama, se sienten amenazados y reaccionan negativamente.

- Toda mujer decidida a iniciar cambios en la manera de vivir su vida debe esperar y superar reacciones de crítica y protestas de su entorno como algo natural.

- Muchas mujeres se arrepienten de haber iniciado los cambios, porque no soportan la inseguridad que estas respuestas críticas les producen, y mansamente "regresan al redil".

- El secreto de los cambios en la menopausia consiste en sentirse satisfecha del cambio que se ha hecho y en dar la conducta anterior por terminada para iniciar una nueva etapa, en la que los cambios son el eje fundamental. Es como dar vuelta a la página de un libro con la certeza de que no tenemos la intención de volver a leerla.

- Cuando dejamos de vivir 100% activamente en el mundo para vivir parte del tiempo en nuestro interior reflexionando, se modifican las percepciones y creencias sobre nosotras, los otros y el mundo. En lo referente a nosotras, evaluamos y cambiamos nuestro proyecto de vida.

- Aceptar que las cosas cambian significa despojarnos de algo que era valioso para nosotros y de ahí surgen los sentimientos de pérdida, duelo y culpa.

- La angustia, que en estos casos acompaña al cambio, provoca que muchas personas busquen ayuda profesional para lograr adaptarse y aceptar las nuevas circunstancias de su vida.

- Quien se resiste a los cambios pierde la oportunidad de ser una mejor persona.
- ¿Cuáles son los cambios más difíciles que has afrontado en tu vida?
- ¿Qué cambios necesitas planear actualmente en tu vida?
- ¿Qué impedimentos hay para realizar estos cambios?
- ¿Qué estrategias vas a usar?

Índice analítico

111